LES GENIES
DE LA PEINTURE
BOSCH

D0306830

LES GENIES DE LA PEINTURE

COLLECTION DIRIGEE PAR ENZO ORLANDI
Rédaction : Nino Manerba, Rédacteur en Chef,
Franco De Poli, Alfredo Pallavisini

Conseiller scientifique : Mia Cinotti

BOSCH

Texte : Franco De Poli
Traduction de l'italien : Yvette Gogue
Mise en page : Bruno Acqualagna, Responsable
Giancarlo Lacchini, Bruno Lando,
Giovanni Melada
Maquette couverture : Ph. Odegaard
Recherche iconographique : Annamaria Biffi, Luciana Conforti
Secrétariat de rédaction: Laura Casati

1980 Arnoldo Mondadori : Editore S.p.A. · Milan
Livres illustrés Mondadori 1980
© Pour l'Edition Française : Editions Princesse · Paris 1982

ISBN 2 · 85961 · 150 · 9
N° Editeur 256
Dépôt légal 3e trimestre 1982
Imprimé en Italie

LES GÉNIES
DE LA PEINTURE
BOSCH

EDITIONS PRINCESSE
55, quai des Grands Augustins, Paris 6e

La Vie

Isolé dans une petite ville de province, il exprima les vicissitudes de son temps par un art visionnaire.

SON GRAND-PERE, SON PERE ET SES ONCLES ETAIENT TOUS PEINTRES.

Dans les registres communaux de la ville de 's-Hertogenbosch (forme originale néerlandaise de « Bois-le-Duc »), dans le Brabant, le nom d'un van Aken apparaît pour la première fois en 1371 : c'est celui d'un certain Jan van Aken, fabricant de parchemins ; en 1399, est signalé un autre Jan van Aken, un marchand de fourrures nommé bourgmestre de la ville. L'analogie qui existe entre Aken et Aachen (Aix-la-Chapelle) donne à penser que la famille van Aken se serait établie à Bois-le-Duc après avoir quitté l'ancienne ville impériale, résidence favorite de Charlemagne. Nul ne sait ce qui incita Jan van Aken à émigrer dans les plaines embrumées du Brabant. Peut-être s'y résolut-il pour des raisons économiques. A cette époque, Bois-le-Duc compte parmi les villes prospères des Pays-Bas. L'artisanat et le commerce, grâce à l'essor du textile et de la métallurgie, y sont florissants. En outre, les Brabançons ont conquis, depuis longtemps déjà, des droits civiques et des libertés économiques notoires, qui ajoutent à l'attrait de cette région.

Jan van Aken (mais on ignore s'il s'agit du fabricant de parchemins ou du foureur-bourgmestre) meurt en 1418. Certains documents prouvent qu'il est devenu propriétaire d'une maison située en face de la tour de la cathédrale Saint-Jean, majestueux édifice qui se dresse au centre de la ville. La possession d'une telle maison montre que ses affaires ont été fructueuses.

Ces van Aken, ainsi que d'autres sujets cités dans divers documents — dont plusieurs femmes — n'ont, semble-t-il, aucun lien de parenté avec Bosch. En revanche, dans les archives de la cathédrale, est signalé,

*Jérôme Bosch naquit entre 1450 et 1460 à Bois-le-Duc où il vécut toute sa vie. Ci-dessus, la construction la plus ancienne qui ait subsité sur la place du Marché de la ville : elle y fut bâtie en 1220. Sur la page ci-contre, autoportrait présumé de Bosch (détail de l'*Enfer musical *dans le* Triptyque du Jardin des Délices*).*

La cathédrale Saint-Jean était le foyer de la vie culturelle de Bois-le-Duc ; le grand-père, le père, les oncles et les frères de Bosch y ont accompli certains travaux. A gauche, vue en raccourci de l'intérieur de la cathédrale ; ci-dessous, extérieur de l'édifice dont la construction, entreprise vers 1200, était encore en cours du vivant de Bosch. Sur la page de droite, le Christ en croix, fresque conservée dans l'église et attribuée au grand-père du maître, Jan van Aken, représentant d'une école picturale locale active dès le début du XVe siècle.

en 1426, le nom d'un autre Jan van Aken (fils d'un certain Thomas van Aken, originaire d'Aix-la-Chapelle et ayant séjourné à Nimègue) qui mérite davantage qu'on s'y attarde. Exerçant le métier de peintre, il a cinq fils — Hubrecht, Thomas, Goosen, Anthonis et Jan — aux quatre derniers desquels il a transmis son savoir en ouvrant probablement un atelier avec eux, comme cela se pratiquait souvent à l'époque.

Bien qu'auteur présumé d'une fresque conservée dans la cathédrale Saint-Jean et représentant un *Christ en croix*, il serait tombé dans l'oubli si les érudits de la fin du XXe siècle ne lui avaient attribué une parenté sans pareille : celle d'être le grand-père paternel de l'un des maîtres les plus déroutants de tous les temps, Hieronymus van Aken, qui prit pour patronyme une partie du nom néerlandais de sa ville natale.

Jérôme est en effet le fils d'Anthonis van Aken, quatrième enfant de Jan qui avait pris pour épouse la fille d'un tailleur de Bois-le-Duc, dénommée Aleyt. Comme indiqué précédemment, il travaillait en tant que peintre aux côtés de son père et de ses frères — non sans succès si l'on pense que, en février 1462, il avait acheté une superbe maison en colombage sur la place principale de la ville en s'engageant à la payer en neuf ans. Jérôme est sans doute le troisième des cinq enfants de sa famille : Katherijn, Goosen (héritier de l'atelier paternel), ledit Jérôme, Jan et Herberta. Sa date de naissance n'est pas connue. D'après certains historiens, il aurait vu le jour entre 1450 et 1460. Son grand-père Jan, décédé en 1454, ne peut donc lui avoir servi directement de maître. Jérôme dut apprendre les rudiments de son art auprès de membres de sa famille : par son père

Anthonis, mort vers 1480, voire son oncle Goose (même si ce dernier n'est mentionné qu'en 1448-49).

SA FORMATION DEMEURE UN MYSTERE

Outre les inconnues relatives à sa date de naissance et à la chronologie de ses œuvres, un mystère entoure la formation artistique du jeune Jérôme. Aucun des documents disponibles à ce jour n'ont pu nous éclairer sur les étapes de son apprentissage et de sa carrière. Les seules dates connues — extraites généralement des registres de la Confrérie de Notre-Dame qui regroupait tous les notables de la ville — ont trait à des travaux mineurs qui ne sont certes pas représentatifs de son immense talent pictural. Il est probable que, dès son inscription à la confrérie, Jérôme dut accomplir ces travaux artisanaux par devoir, ne

D'étranges statues de pierre, chevauchant les contreforts de la toiture de la cathédrale Saint-Jean, figurent, aux côtés des artisans constructeurs, des monstres et des démons gothiques analogues aux personnages démoniaques que peignit Bosch.

serait-ce que pour pourvoir à ses frais courants. Précisons cependant que des artistes de la Renaissance aussi renommés que Michel-Ange ou Albrecht Dürer effectuèrent eux aussi des travaux qui, de nos jours, passeraient pour dérisoires, mais que l'on ne jugeait pas alors comme tels dans la mesure où l'art et l'artisanat n'étaient pas aussi rigoureusement distincts.

Un survol du parcours personnel de Bosch ne peut s'appuyer, pour quiconque désire le reconstituer, que sur une trentaine de documents couvrant quarante-deux années. Or, ces documents ne présentent qu'un intérêt limité car ils relatent pour la plupart des évènements purement anecdotiques ou secondaires. Le premier d'entre eux, daté du 5 avril 1474, nous présente le peintre qui, assisté de son père et de deux de ses frères, participe à une tractation com-

merciale pour aider sa sœur Katherijn à prendre en location un petit lopin de terre, aux portes de la ville, en échange d'une quantité donnée de seigle ; le dernier a trait aux obsèques de l'artiste qui eurent lieu le 9 août 1516.

MARIAGE AVEC UNE JEUNE PATRICIENNE

Le premier document qui, en quelque sorte, fasse référence à l'activité artistique de Bosch remonte à 1480-81 : il y est dit que « *Jeroen die maelre* » (Jérôme le peintre) achète les deux volets de l'ancien retable que la Confrérie de Notre-Dame avait sans doute commandé à son père (les deux panneaux, toutefois, étant restés inachevés, on suppose que le jeune Jérôme eut ainsi l'intention de s'en servir comme supports pour ses

propres œuvres.) A cette date, le peintre était déjà marié : son mariage, qui lui octroiera un bien-être indéniable, dut être célébré vers 1478. La jeune fille qu'il a choisie comme épouse s'appelle Aleyt, du nom de sa mère. Elle est issue d'une famille riche et très influente : elle est née en 1453 d'une fille d'apothicaire qui porte le nom insolite de Postellina, et d'un certain Goyart van Meervenne, dit Brant, gros propriétaire terrien, lui-même fils d'un homme aisé portant également le nom de Goyart. Aleyt apporte en dot des terres fertiles auxquelles d'autres viennent s'ajouter en juillet 1484 ; cette année-là, comme nous l'apprend un acte notarié, « Aleyt van de Meervenne et Hieronymus van Aken, son époux » héritent de Goyart, frère d'Aleyt, la propriété de campagne dénommée « ten Roedenken », située à Oirschot.

Le peintre, comme l'indiquent ces

Aleyt van de Meervenne, la jeune patricienne que Bosch épousa vers 1478, avait pour père un gros propriétaire terrien ; elle apporta en dot au peintre plusieurs terrains situés non loin d'Oirschot, village du Brabant à une trentaine de kilomètres de Bois-le-Duc (sur les deux photographies ci-

dessous, aspects de la campagne hollandaise aux abords d'Oirschot : les fermes les plus anciennes rappellent celles que l'on voit sur certaines peintures du maître). D'après les documents qui ont été préservés, il s'avère que Bosch fut un gérant avisé des biens de sa femme.

mêmes documents, (le 11 avril 1482, il représente sa femme pour la vente d'un terrain agricole, puis celle d'un autre champ le 21 mars de l'année suivante ; le 3 janvier 1483, il perçoit la rente d'une maison située à Schijndel) s'avère être un administrateur averti des biens que lui apporte la dot de sa femme. D'autres actes notariés et documents commerciaux nous le montrent à nouveau impliqué dans diverses tractations financières : le dernier daté du 17 mai 1498, annonce que Bosch a remis une procuration à trois personnes pour qu'elles se fassent remettre des fermages et des rentes par plusieurs créanciers. Il y est également précisé que, à l'occasion de ces tractations, les deux époux se trouvent parfois en désaccord avec la famille d'Aleyt.

Cette description de Bosch sous le jour d'un « homme d'affaires » cadre mal avec l'esprit qui anime ses

œuvres, notamment le thème de la cupidité qu'il dénonce souvent comme l'un des fléaux de la société. Quoi qu'il en soit, il demeure vraisemblable que le peintre ait entendu préserver coûte que coûte le rang social auquel l'avait hissé son mariage et qui lui offrait, par ailleurs, la possibilité inestimable de peindre en toute autonomie.

Outre son mariage, un autre évènement joue un rôle décisif dans la vie du peintre : son inscription, entre 1486 et 1487, à la Confrérie de Notre-Dame (dont sa femme Aleyt était également membre depuis l'âge de seize ans). Un an plus tard, Bosch, ainsi que six autres confrères, verse une somme dont on ignore le montant pour participer au banquet organisé, traditionnellement, en l'honneur des membres de la confrérie dont change le statut social (l'un, par exemple, se faisant consacrer prêtre, l'autre se

mariant, etc.) Sans doute est-il alors devenu un « maître libre » : dès cette date, il figure sur plusieurs registres en tant que « notabel », c'est-à-dire un homme influent.

BANQUET DU CYGNE OFFERT A SES CONFRERES

La confrérie, fondée en 1318, joue un rôle prépondérant dans la ville de Bois-le-Duc du XVᵉ siècle : elle a pour adhérents les citoyens les plus en vue qui se consacrent non seulement à des œuvres de charité, mais aussi organisent des spectacles religieux retraçant des scènes de l'Evangile et assortis de processions ; ces dignitaires, d'autre part, forment l'orchestre et le chœur de la cathédrale. L'année où Bosch est accepté parmi les confrères, les nouveaux inscrits sont au nombre de 353. Leur devise est « *Sicut lilium inter spinas* »

10

A gauche, un portrait présumé de Bosch, œuvre d'un peintre flamand inconnu du XVIᵉ siècle. Ci-dessous, un autre édifice religieux que connut certainement le maître : l'église gothique Saint-Pierre, dans la bourgade d'Oirschot.

(comme le lys entre les épines) ; leur enseigne est un cygne blanc. Des quelques anecdotes concernant la vie du peintre, il en est une où intervient cet oiseau. La confrérie avait pour coutume d'organiser chaque année un banquet durant lequel on préparait la chair noire du cygne rôti. Or, en 1498-99, ce fut justement le « notabel » Bosch qui offrit ce repas social.

Au sein de la confrérie, Jérôme parvient à se faire connaître des citoyens, laïques et religieux, susceptibles de devenir ses « clients ». C'est là qu'il rencontre un autre artiste de renom avec lequel il noue des relations d'amitié : Allaert de Hameel, né sans doute à Bois-le-Duc, architecte et graveur. Entre 1478 (année de son inscription à la confrérie, ainsi que celle de sa sœur) et 1494, de Hameel est chargé de diriger les travaux de construction du transept et de la nef centrale de la cathédrale Saint-Jean.

Ce chantier, creuset de la vie artistique de la ville, permet à l'architecte de déployer tout son génie, notamment dans ses gravures qui, assez souvent, représentent des détails d'architecture et d'ornementation. Deux d'entre elles, en particulier, témoignent de l'étroitesse des liens qui unissaient le peintre et l'architecte, car elles semblent inspirées d'œuvres — aujourd'hui disparues — de Bosch : l'une représente un *Jugement dernier* où Dieu, suspendu dans un ciel peuplé d'anges et de bienheureux, surplombe une scène endiablée de monstres s'acharnant sur une foule de pécheurs ; sur l'autre, un *Eléphant assiégé*, on voit ce pachyderme qui, portant sur sa croupe une sorte de tour cuirassée, campe en plein champ de bataille (il semblerait que le premier éléphant ait fait son apparition aux Pays-Bas vers l'an 1484).

De Hameel et Bosch doivent avoir en commun les mêmes influences : les créatures diaboliques qui, intercalées entre des artisans mâcons, sont sculptées sur pierre et chevauchent les contreforts de la cathédrale, ont peut-être servi de sources d'inspiration aux diableries boschiennes. L'architecture gothique stricte dans laquelle excelle de Hameel reflète, quant à elle, l'atmosphère médiévale qui régnait encore dans la ville : on y appréciait toujours des ouvrages comme les *Visions de Tungdal*, rédigé en 1149, mais dont la traduction hollandaise, éditée à Anvers en 1482, fut réimprimée à Bois-le-Duc par un imprimeur de Nimègue, Gérard Leempt en 1484.

Certes les fresques de la cathédrale — non seulement le *Christ en croix* déjà cité des van Aken, mais aussi l'*Arbre de Jessé*, de la fin du XIVᵉ siècle peut-être, et un *Saint Nicolas* et un *Saint-Pierre avec Saint-Jacques* exé-

11

La Confrérie de Notre-Dame, institution religieuse fondée en 1318, accueillait dans ses rangs les dignitaires les plus éminents de Bois-le-Duc. Bosch y fut admis comme membre en 1486-87 (ci-dessous, à gauche, la Zwannenbroederhuis, siège de la confrérie). Le cygne, que l'institution avait inscrit dans son blason (ci-dessous, à droite, l'oiseau blanc dans un détail des Noces de Cana de Bosch) était servi à l'annuel «banquet du cygne». En 1498-99, le peintre reçut ses confrères à dîner et leur offrit du cygne rôti.

cutés au début du XVᵉ siècle — inclinent en faveur de l'existence d'une école picturale à Bois-le-Duc — thèse retenue par certains érudits. Aucun document, toutefois, n'atteste de la présence, dans la ville, d'une guilde de peintres, autrement dit de l'une de ces corporations qui fleurissent à la même époque dans les villes de l'Europe septentrionale. Bien qu'abritant une bourgeoisie nantie et, dans certains cas, érudite, Bois-le-Duc n'est pas devenue un centre de l'art pictural comme Bruges, Louvain, Gand et Haarlem, sans parler d'Anvers pourtant proche, et de Bruxelles. Bosch qui, certainement, passe toute son existence entre les murs de cette ville demeure par conséquent un solitaire. Dans un contexte médiéval qui, dans le Brabant, s'acheminait vers son déclin, tandis que l'enseignement de la Renaissance italienne gagne nombre d'autres régions, il adopte un style

si personnel qu'on imagine difficilement qu'il se soit référé à d'autres courants picturaux. Peut-être est-ce ce qui explique pourquoi Albrecht Dürer, qui séjourna dans cette ville, écrira le 20 novembre 1520 dans le journal qu'il tenait minutieusement que la ville a «une église particulièrement jolie et riche. J'ai dépensé dix *stuivers* et maître Arnold m'a offert un repas. Les orfèvres m'ont accueilli et m'ont fait beaucoup de politesses»: pas un mot sur le grand maître qui n'était mort que quatre ans auparavant !

C'est pourtant dans cette église que se trouvaient les œuvres de jeunesse de Bosch. Un voyageur flamand, J.B. Gramaye, en parle dans une chronique, *Taxandria*, où il affirme avoir vu, au début du XVIIᵉ siècle, dans la cathédrale Saint-Jean, plusieurs tableaux de l'artiste : une *Création du monde*, sur les faces extérieures des

volets d'un retable gravé ornant l'autel principal, une *Epiphanie*, destinée à la chapelle de la Douce-Mère de Bois-le-Duc, une *Abigaï prosternée devant le roi David*, sur les volets extérieurs du retable gravé de la chapelle de Notre-Dame (chapelle de la confrérie) et enfin un polyptique qui, sur l'autel de Saint-Michel, figurait le *Siège de Béthulie*, le *Meurtre d'Holopherne*, la *Fuite des Assyriens*, *Mardochée et Esther*, et le *Triomphe du peuple juif*.

MAISON ET ATELIER SUR LA PLACE DU MARCHE

Ce témoignage précieux ne peut malheureusement pas être vérifié puisque les œuvres décrites (à l'exception de l'*Epiphanie*, également citée en 1649) furent détruites lors

L'atelier de Bosch (ci-dessous, un autre portrait du peintre, reproduit dans le recueil de Lampsonius) se trouvait à la périphérie de la place du Marché de Bois-le-Duc. A droite, la place, haute en couleurs, d'après une peinture flamande anonyme (vers 1525).

HIERONYMO BOSCHIO PICTORI.

d'un assaut iconoclaste de l'église, survenu en 1629, lorsque les Réformés occupèrent et pillèrent la ville.

Si l'histoire de nombreuses œuvres du maître de Bois-le-Duc prête à conjectures, on ne saurait en dire de même pour sa vie. Citoyen fortuné (on sait, entre autres, qu'il payait des taxes considérables, parmi les plus élevées de la ville ; en 1507-1508, la somme de 3 florins du Rhin et de 10 deniers lui fut réclamée à titre d'impôts pour la guerre contre le duché de Gueldre), il vit en harmonie dans un milieu de marchands que les problèmes de l'art ne sauraient émouvoir. Ses concitoyens, malgré tout, ne lésinent pas sur les éloges et les commandes : l'existence d'un grand nombre de ses œuvres dans la cathédrale en témoigne. Sa maison, vaste et confortable, est bâtie au centre de la ville, à l'extrême limite de la place triangulaire du Marché. Il semblerait

que, sur cette place qu'animaient les bancs des marchands de tissus, il ait eu également son propre atelier, à deux pas de son habitation. Les renseignements dont on dispose sur cet atelier sont rares ; l'un d'eux, daté de 1503-1504, précise que Jérôme a des « knechten », des apprentis.

Ses premières commandes lui furent sans doute passées par des écclésiastiques, mais, par la suite, le cercle de ses donateurs s'agrandit. Parmi eux on compte même le régent des Pays-Bas, Philippe le Beau. Venu à Bois-le-Duc pour assister, en 1496, au baptême de l'israélite Jacob de Almaengien (d'aucuns se plaisent à voir en ce personnage étrange et ambigu qui, plus tard, se reconvertira au judaïsme, le grand maître de la secte hérétique du Libre Esprit et l'un des personnages qui inspirèrent les scènes les plus « extravagantes » de Bosch), il s'intéresse vivement à l'œu-

vre du maître. En 1504, le suzerain — comme il est dit dans un document des archives de Lille — fait verser à « Jeronimus van Aeken, dit Bosch, la somme de 36 livres, à bon compte sur ce qu'il pourrait être dû pour un grand tableau de peinture, de 9 pieds de haut et 2 de long, où doit être le Jugement de Dieu, à savoir paradis et enfer, que Monseigneur lui avait ordonné de faire pour son très noble plaisir. » Il s'agit d'une œuvre que l'on n'a pas pu identifier avec certitude. Peut-être est-ce le *Triptyque du Jugement dernier*, aujourd'hui à Vienne ou mieux, le *Jugement dernier*, fragmentaire, conservé à Munich.

A peu près à la même période, Jérôme peint un autre de ses chefs-d'œuvre, le *Triptyque du Jardin des Délices*. D'après ce qu'il résulte d'études très récentes, le donateur en est un représentant de la famille des Nassau : Engelbert II ou Henri III.

Destiné à la chapelle du Palais des Nassau, à Bruxelles, le célèbre triptyque devient ensuite la propriété de Guillaume le Taciturne, gouverneur des provinces libres hollandaises. N'échappant pas au cours de l'histoire des Pays-Bas, il se retrouve confisqué, au même titre que d'autres biens de Guillaume, par le duc d'Albe, puis finit dans les collections du fils naturel de ce dernier, Fernand de Tolède, prieur de l'Ordre de Saint-Jean. En 1591, Philippe II, roi d'Espagne, l'achète et le fait transférer à l'Escurial. Ce triptyque se trouve actuellement au Prado.

CHOREGRAPHIES INFERNALES AVEC DIABLES ET SPECTRES

Pour confirmer l'intérêt qu'accordaient les familles les plus haut placées de l'époque à l'œuvre du peintre

La Chapelle de la Confrérie de Notre-Dame, dans la cathédrale Saint-Jean (ci-dessous, l'intérieur ; sur la page ci-contre, à gauche, l'extérieur de ce lieu sacré) fut érigé, entre 1480 et 1492, sur les plans de Jan Heyns et d'Allaert du Hameel, un architecte avec lequel Bosch était devenu ami et qui, entre autres, exécuta plusieurs gravures inspirées des œuvres du peintre. Sur l'autel de la chapelle était posé un retable, dont la partie sculptée (sur la page ci-contre, à droite, un fragment de ces sculptures sur bois représentant la Mort de la Vierge) avait été réalisée en 1476 par Adraen van Wesel d'Utrecht. Bosch, qui collabora à cette œuvre, peignit les volets du retable qui, par la suite, furent dispersés ainsi que d'autres tableaux du maître qui se trouvaient dans l'église.

de Bois-le-Duc, on peut citer un inventaire, effectué en 1516 (année du décès de Bosch) des biens détenus à Malines par Marguerite d'Autriche, sœur de Philippe le Beau et régente des Pays-Bas à partir de 1507. Parmi ces biens, on relève : « Un moyen tableau de Saint-Antoine... qui a été fait par Hieronymus Bosch et a été donné à Madame par Jhoane, femme de chambre de madame Lyonor... »

Si les témoignages relatifs aux œuvres maîtresses de Bosch sont très rares, il existe, comme indiqué précédemment, des documents décrivant plusieurs travaux mineurs que le peintre effectue pour la confrérie. Comme en attestent d'autres documents, son grand-père et père avaient, eux aussi, travaillé pour cette pieuse institution, en particulier pour préparer des costumes et des masques portés à l'occasion des processions et des spectacles. De fait, la confrérie constitue une troupe spécialisée dans l'organisation des jeux dramatiques, les représentations de Mystères. Entre autres représentations sont aussi montées des chorégraphies infernales, des ballets de spectres et de squelettes, des farces et des diableries. Les acteurs, dont le jeu est improvisé, portent des masques diaboliques, des casques aux formes étranges, des nez de cuir, des vêtements peints, des bannières multicolores. Il suffit de songer à de tels spectacles — dont la procession qui, chaque année, évoquait les scènes de l'Evangile et où la représentation de la tentation de Saint Antoine était la plus admirée — pour comprendre que les thèmes « diaboliques » favoris de Jérôme n'ont pas été uniquement le fruit d'une imagination débridée : ils sont aussi le reflet des scènes auxquelles il lui était donné d'assister, voir de participer, en tant que metteur en scène, costumier-décorateur et même acteur, en digne confrère qu'il était.

Le premier document attestant des travaux accomplis par Bosch pour la confrérie remonte à 1493-94. « Joen le peintre » doit livrer au maître verrier Willem Lombart les cartons d'une verrière colorée qui doit être placée dans la nouvelle chapelle de la confrérie, dans la cathédrale Saint-Jean.

LES TRAVAUX MINEURS D'UN GRAND ARTISTE

Deux deniers et demis lui sont versés pour qu'il assiste Lombart « afin que la verrière sus-mentionnée soit bien faite » ; vingt autres deniers lui servent à acheter deux vieux draps sur lesquels le peintre doit esquisser ses croquis. Par déduction, certains

Parmi les donateurs les plus « haut placés » de Bosch (ci-dessous, le portrait le plus digne de foi du peintre, d'après le fameux dessin d'Arras), il faut citer Philippe le Beau, régent des Pays-Bas (à gauche) qui, en 1504, passa à l'artiste la commande d'un Jugement universel.

experts estiment que Bosch conçut également les vitraux pour le chœur de la cathédrale, exécutés en un second temps par Henricken Bueken. Mais aucune preuve n'est venue confirmer cette assertion.

Dix ans après environ, les registres de comptes de l'institution font état d'un versement de six deniers en faveur des apprentis de Jérôme pour leur exécution de trois blasons destinés à être suspendus sur des « piliers métalliques ». Cette commande fut passée par les confrères Jannen van Baex, Henrich Massereels et Lucas van Erpe. (Le nom de Jannen van Baex réapparaît, associé à celui du peintre, en 1510 : cette année-là, plusieurs confrères sont invités dans la maison de « Hieronymus van Aken, qui signe (ses œuvres) Hieronymus Bosch » pour un repas funéraire donné après les obsèques du chevalier van Baex. Une somme de trois

Le roi d'Espagne Philippe II (ci-dessous, à droite, d'après un portrait célèbre du Titien) fut un grand admirateur des œuvres de Bosch : il fit expédier à l'Escurial plusieurs peintures du maître, provenant de la collection de l'humaniste Felipe de Guevara.

Un autre humaniste d'origine portugaise, Damiao de Gois (ci-dessous, à gauche, d'après une gravure de Philippe Galle) acheta vers 1547 pour le compte du roi Manuel l'un des chef-d'œuvre de Bosch, le Triptyque de la Tentation, pour la somme modique de 100 cruzados.

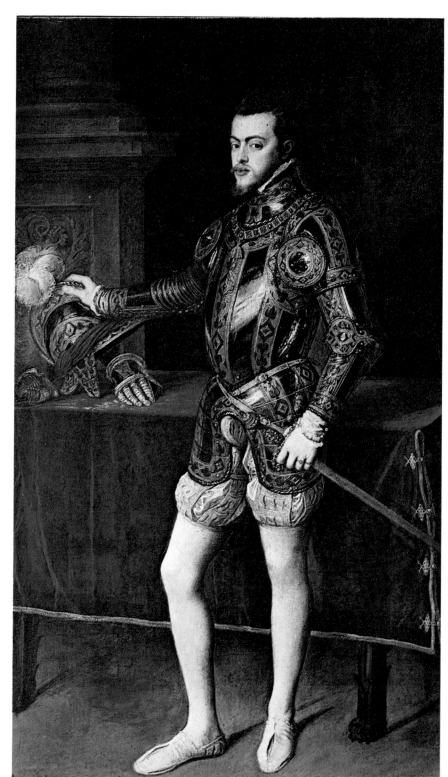

deniers ayant servi à payer les domestiques de l'artiste après le repas est mentionnée sur le registre de la confrérie.)

Entre 1508 et 1509, une délégation de la confrérie charge Jérôme et l'architecte Jan Heyns de surveiller la dorure et la polychromie d'un retable sculpté ornant la chapelle à Saint-Jean. (Bosch avait sans doute peint les volets extérieurs de ce retable avec l'œuvre précitée *Abigaï prosternée devant le roi David*, retable dont le panneau central avait été sculpté en 1476 par Adriaen van Wesel d'Utrecht.)

Citons encore un autre travail mineur, le « modèle d'un crucifix », qui lui fut payé vingt deniers entre 1511 et 1512. Sans doute s'agit-il d'un croquis de motif à broder sur un surplis de prêtre. En 1512-1513, enfin, la confrérie se préoccupe de l'achat d'un chandelier qu'elle désire placer

Bosch mourut à Bois-le-Duc en 1516, mais sa tombe n'a jamais pu être localisée. Pour rendre hommage à son illustre fils, la ville a érigé en 1929, sur la place du Marché, un monument funéraire, œuvre d'August Falise (ci-dessous, la statue ; à droite, un détail).

dans le chœur de la cathédrale. Elle en paye le tiers du montant, les deux tiers restants étant versés par des donateurs, dont un certain Willem van Achel. Ce dernier, comme il est écrit sur le document, s'engage à verser sa part à condition que soit payé « Jérôme le peintre » qui en a conçu la maquette. Le montant de la somme impliquée n'est pas précisé : il y est seulement dit que Bosch sera rémunéré « pour peu qu'il le désire ».

VINGT-SIX DENIERS POUR SES FUNERAILLES

Telle est la dernière information qui nous soit parvenue sur l'artiste de son vivant. Le 9 août 1516, la confrérie annote dans son livre de comptes le versement de 27 deniers par les amis du défunt, pour les obsèques de Bosch. Quelques jours après, le tréso-

rier remet le denier restant, car les frais des funérailles se sont élevés à 26 deniers. Cette collecte organisée par les amis de Bosch pour ses obsèques ne signifie pas, comme on pourrait le croire, que le peintre ait été réduit à la misère : tout porte à croire au contraire que c'était là une pratique courante dans la confrérie. Dans un *Orbitus fratrum* (liste des confrères défunts) rédigé par Maartem Sheeren vers 1575, l'artiste est inscrit sous l'appelation de « Hieronymus van Achen, dit Bosch, peintre insigne ». Par ailleurs, un document notarié, daté de 1531, précise qu'il a été procédé à l'inventaire de la succession d'Aleyt, veuve du maître.

Quelle idée peut-on se faire du peintre à partir de ces informations succintes ? Presque tous les biographes de Bosch s'accordent à le décrire comme un homme aisé et réservé, rangé et consciencieux. Ses

œuvres tourmentées dénotent cependant quelque chose de plus. Bosch fut le témoin de la lutte que menèrent les Pays-Bas contre les Habsbourg. Il vit les lansquenets allemands et espagnols mettre à sac des régions prospères où les libertés civiques et commerciales étaient préservées. Ses tableaux reflètent — au travers du style si spécifique qui est le sien — cette époque troublée ; ils nous font également en conclure que le peintre ne resta pas isolé entre les murs de son atelier et de sa maison, mais participa activement aux événements de son temps.

LA CHRONOLOGIE

VIE ET ŒUVRE DE BOSCH

1450-60 : Au cours de cette décennie, Bosch naît à 's-Hertogenbosch (Bois-le-Duc) d'Anthonis van Aken et d'Aleyt van der Minnen.

1480-81 : Achète les deux volets, laissés inachevés jusqu'alors, du retable ornant la cathédrale et appartenant à la Confrérie de Notre-Dame.

1481 : Entre le 15 juin et le 3 juillet, représente sa femme Aleyt van der Meervenne, pour une opération financière.

1484 : Hérite, ainsi que sa femme, après le décès de son beau-frère Goyart, de la propriété dite « ten Roedenken » à Oirschot.

1486-87 : Devient membre de la Confrérie de Notre-Dame.

1488 : De même que six confrères, il verse sa part pour participer au banquet organisé en l'honneur des adhérents de la confrérie qui changent de statut social.

1491-92 : Travaille à un tableau contenant les noms des confrères vivants et défunts.

1493-94 : Dessine sur deux draps la maquette d'une verrière que le maître verrier Willem Lombart doit exécuter pour la chapelle de la confrérie, dans la cathédrale.

1498-99 : Offre le « banquet du cygne » à ses confrères.

1504 : Lui sont versées 36 livres comme accompte pour un *Jugement universel* commandé par Philippe le Beau, régent des Pays-Bas.

1508-09 : Est consulté, ainsi que l'architecte Jan Heyns, pour la dorure et la polychromie d'un retable sculpté destiné à la chapelle de la confrérie, dans la cathédrale.

1511-12 : La confrérie lui verse 20 deniers pour le croquis d'un crucifix.

1512-13 : Exécute la maquette d'un chandelier pour la confrérie.

1516 : Les obsèques de Bosch sont célébrées le 9 août.

LES EVENEMENTS CONTEMPORAINS

1449 : Fin du schisme d'Occident.

1452 : Naissance de Léonard de Vinci.

1453 : Conquête de Constantinople par Mahomet et fin de l'empire byzantin. Fin de la guerre de cent ans.

1455 : Guerre des deux roses.

1458 : Election du pape Pie II.

1467 : Naissance d'Erasme, de Rotterdam.

1469 : Mariage de Ferdinand d'Aragon et d'Isabelle de Castille.

1475 : Naissance de Michel-Ange Buonarroti.

1477 : Mariage de Maximilien de Habsbourg et de Marie de Bourgogne.

1483 : Charles VIII, roi de France. Naissance de Raphaël et de Martin Luther.

1484 : Election du pape Innocent VIII — Bulle « Summis desirantes affectibus » qui autorise la guerre aux sorcières.

1492 : Découverte de l'Amérique par Christophe Colomb.

1493 : Maximilien Ier devient empereur du Saint-Empire romain.

1494 : Expédition de Charles VIII en Italie.

1496 : Bataille de Fornoue.

1498 : Mort de Savonarole sur le bûcher. Mort de Charles VIII auquel succède Louis XII.

1503 : Election du pape Jules II.

1508 : Ligue de Cambrai.

1509 : Henry VIII, roi d'Angleterre.

1511 : Constituion de la Sainte Ligue par Jules II contre la France.

1513 : Election du pape Léon X.

1514 : Reconstruction de la basilique Saint-Pierre.

1515 : Succession de Louis XII par François Ier.

1517 : Affichage des 99 thèses, sur les portes de la cathédrale de Wittenberg, par Luther.

Ses chefs-d'œuvres

L'Escamoteur, *Saint-Germain-en-Laye, Musée municipal.*

Œuvres de jeunesse de Bosch, la *Cure de la folie* (ou l'Excision de la pierre de folie) et *L'Escamoteur* (reproduit sur la page précédente) comptent, à première vue, parmi les «tableaux de genre» dépeignant des scènes de la vie quotidienne. Sur ces tableaux, toutefois, on pressent déjà le style spécifique du maître : son naturalisme (par exemple, dans le paysage panoramiqie représenté en arrière-plan, nouveauté par rapport à la peinture flamande de l'époque, et dans l'étude des visages) et la complexité de son langage pictural qui s'exprime à travers la satire et le symbolisme. Entre autres symboles, nous voyons la chouette qui sort la tête du panier du charlatan et qui symbolise l'hérésie ; l'entonnoir de la science, posé de manière burlesque sur la tête du chirurgien, tandis que de celle du patient pointe une tulipe ; la religieuse qui tient en équilibre sur sa tête un traité de médecine et semble méditer sur la crédulité humaine. Une croyance populaire voulait que l'on put soigner un aliéné en lui extrayant du crâne la «pierre de folie». Mais le tableau de Bosch a sans doute une tout autre signification : les escrocs savent soutirer l'argent des naïfs. Ce même concept réapparait dans *L'Escamoteur* qui fait jaillir des grenouilles de la bouche d'un nigaud tandis que son complice lui soustrait habilement sa bourse. Par une simplification des drapés et un modelé sommaire des figures, dans l'inspiration populaire de sa peinture, l'artiste tend à s'affranchir de la tradition du XVᵉ siècle des grands maîtres du réalisme, celle du Maître de Flémalle et de van Eyck. La composition en *tondo* (médaillon) de la *Cure de la folie* sera reprise par le peintre dans d'autres œuvres exécutées à diverses périodes.

1) *Détail de* L'Escamoteur, *Saint-Germain-en-Laye, Musée municipal.*
2) La Cure de la Folie, *Madrid, Prado.*
3) *Détail du tondo 2.*

1

Conçu sans doute à l'origine pour faire office de dessus de table, mais suspendu, par la suite, par Philippe II dans sa chambre à l'Escurial, le tableau des *Sept Péchés capitaux*, où les figures, presque miniaturisées, demeurent primitives, n'est pas exempt de certaines influences flamandes du XIVe siècle ; c'est également une anticipation de la peinture de genre en raison des scènes de la vie quotidienne qui y sont traitées. L'ensemble de la composition est singulière : au centre, le Christ est entouré de 178 rayons concentriques et de sept compartiments trapézoïdaux formant un tondo et où sont figurés les sept péchés capitaux : l'envie, la colère, la vanité, la luxure, la paresse, la gourmandise et l'avarice. Aux angles de la table s'inscrivent quatre médaillons plus petits où sont représentés les fins dernières de l'homme : mort, résurrection, enfer et paradis. La conception de l'œuvre, malgré la diversité des scènes, est unitaire : le tondo central représente l'œil de Dieu qui voit les péchés humains ; les médaillons disposés aux angles dépeignent le jugement, la punition et le salut. La veine populaire qui anime les scènes de vices — telle celle de la colère où l'on voit la femme essayer de retenir la main armée de l'un des adversaires ; ou celle de la ripaille où l'on voit l'enfant aussi gras et avide que les adultes — permet à l'artiste d'échapper à l'iconographie allégorique traditionnelle. Les inscriptions en caractères gothiques servent à éclaircir, comme cela se faisait jadis, la signification des diverses représentations.

2

1) Les Sept Péchés capitaux, *Madrid, Prado, et deux détails du tondo : 2)* La Colère ; *3)* La Gourmandise.

3

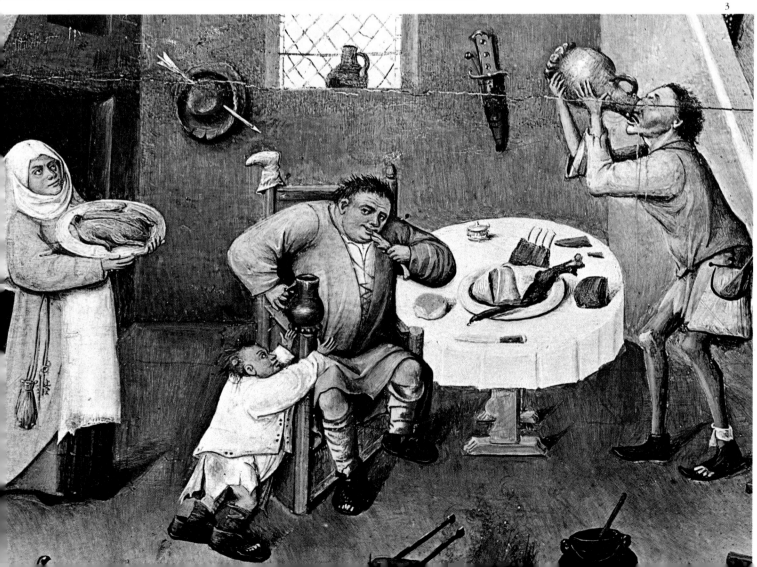

Fort différents quant à leur composition et à leur signification, les deux tableaux *Les Noces de Cana* et *La Nef des fous* témoignent du style et de la thématique que Bosch sut imposer dès ses premières œuvres. Dans *Les Noces de Cana*, au-delà des éléments traditionnels qui semblent inspirés de la *Dernière Cène* de Dirk Bouts et de la table en L qui dérive d'un motif giottesque, affleurent des signes inquiétants typiques de Bosch : un diablotin qui décoche une flèche du haut d'un chapiteau de colonne gothique ; un musicien difforme qui, sur une estrade, en haut et à gauche, joue de la cornemuse (symbole sexuel et maléfique) ; sur les plateaux qu'apportent les serviteurs, une tête de sanglier et un cygne — eux aussi symboles du mal et du péché — crachant des flammes ; dans le fond de la scène, sur la crédence, sont alignés, à côté d'objets usuels, une statuette avec deux nus dansants, un cygne, un oursin (symbole de la luxure et de l'hérésie).

Le Christ qui transforme l'eau en vin semble adresser sa bénédiction à l'enfant que l'on voit de dos au centre de la scène et qui tient un calice (peut-être une préfiguration du mystère de l'Eucharistie). On retrouve également l'esprit satirique de Bosch dans *La Nef des fous*, où sont utilisés, comme dans *Les Noces de Cana*, les rouges et les bruns. Le peintre critique surtout le péché de la gourmandise, représenté par un moine et une nonne qui semblent vouloir croquer à belles dents un gâteau suspendu à une ficelle, tandis qu'un poulet dodu, accroché au mât, va bientôt être dérobé par un voleur. Les autres bateleurs entonnent un chant gaillard.

1) Les Noces de Cana, *Rotterdam, Musée Boymans-Van Beuningen.*
2) La Nef des Fous, *Paris, Louvre.*
3) *Détail du tableau 2.*

Les figures représentées de dos occupent, de manière assez énigmatique, des positions-clef dans nombre des tableaux de Bosch. L'exemple le plus frappant de ce « monde vu de dos » est peut-être l'enfant des *Noces de Cana* qui s'avère être le centre idéal de la composition, car c'est vers lui que se tourne le regard du Christ qui bénit le ciboire. Cette fonction « centrale » de la figure est réhaussée par des effets plastiques et picturaux recherchés. Le geste hiérarchique avec lequel l'enfant soulève la main gauche ne rappelle en rien toute autre iconographie traditionnelle de cette scène sacrée. Le convive qui, occupant le haut de la table, complète sur la droite ce festin animé, est, lui aussi, représenté de dos sous un angle que l'on pourrait qualifier de cinématographique. Son costume permet de dater approximativement le tableau dans la mesure où la coiffe qu'il porte était en vogue vers 1480. *La Vanité*, que figure une femme dans l'un des compartiments des *Sept Péchés capitaux*, est également vue de dos alors qu'elle essaie une coiffe devant un miroir que soutient le diable. L'intérieur de la maison, qui rappelle celui du *Portrait des époux Arnolfini* de Jan van Eyck, est réaliste, mais l'atmosphère qui y règne est diabolique.

1

2

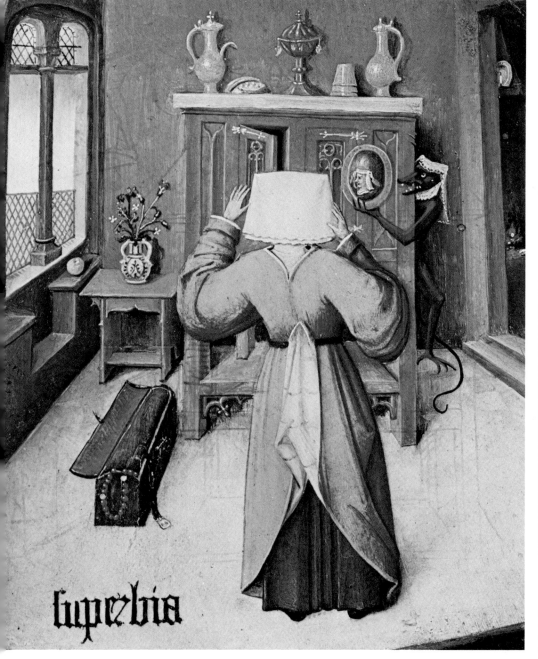

1) La Vanité, *détail des* Sept Péchés capitaux. *Madrid, Prado.*
2) et 3) Détails des Noces de Cana, *Rotterdam, Musée Boymans-Van Beuningen.*

Le *Triptyque du Chariot de foin*, le premier de la série des grands triptyques de Bosch, illustre l'irruption du Mal chez les hommes, avec la naissance d'Eve et le péché originel, le triomphe de la folie humaine autour du chariot symbolique, et l'arrivée finale du pécheur en enfer. Autour du chariot qui domine l'ensemble du tableau — nouveauté pour la peinture de l'époque — se pressent de nombreux personnages et de nombreuses scènes figurant les péchés des hommes : premier exemple de l'imagination débridée du maître quant à la composition. L'une de ces scènes, au premier plan, en bas à droite, montre l'invitation ambiguë d'une religieuse à un joueur de cornemuse ; un moine ventru boit, assis à une table — on retrouve là le reflet de la polémique engagée contre la corruption du clergé qui s'était amorcée bien avant la Réforme en Europe septentrionale. Des ecclésiastiques et les grands de ce monde — qui suivent le chariot de foin que tire un attelage démoniaque — des paysans et des bourgeois participent à une farandole frénétique qui se déverse ensuite en enfer. Du point de vue pictural, la palette du maître a acquis, par rapport aux œuvres de jeunesse, un clavier chromatique plus riche. Le message moralisateur du *Triptyque* se fond dans la splendeur de la réalisation formelle.

1) Le Chariot de foin, *panneau central du* Triptyque du Chariot de foin *(2), Madrid, Prado. 3) Détail du panneau 1.*

2

3

Les analogies que présentent les deux hommes dont l'un se trouve au centre du tableau *L'Enfant prodigue* et l'autre sur les deux volets (fermés) du *Triptyque du Chariot de foin*, et dont le thème est *Le Chemin de la vie*, sont impressionnantes : même position, même visage (certains érudits ont voulu y reconnaître l'un des mystérieux autoportraits que Bosch aurait disséminés dans ses œuvres). Bien que le thème des deux scènes diffère, la signification globale demeure identique : errements de l'homme au milieu des tentations et des péchés sans avoir, en lui-même, la force d'y échapper. Hormis les significations symboliques de ces deux tableaux, il est intéressant de souligner l'amour et la maîtrise avec lesquels Bosch est parvenu à peindre le paysage en arrière-plan. On y reconnaît la campagne du Brabant septentrional, si familière au peintre. Sur ces fonds s'insèrent des scènes de la vie courante, choisies néanmoins à dessein pour étayer l'allégorie.

1) L'Enfant prodigue, *Rotterdam, Musée Boymans-Van Beuningen.*
2) Le Chemin de la vie, *faces extérieures des volets du* Triptyque du Chariot de foin, *Madrid, Prado.*

1

Situé à l'apogée de l'art pictural de Bosch, le *Triptyque du Jardin des Délices* est une œuvre qui, en raison de son originalité, n'a pas d'égale en son temps. Sa signification a été — et est encore — longuement contreversée. Il ne fait toutefois aucun doute que ce triptyque procède du « sermon moralisateur » qui est à la base de tout l'œuvre du maître de Bois-le-Duc. Depuis *La Création du monde* (qui apparaît sur les faces extérieures des volets) où la terre grouille de vie encore informe, on passe aux scènes merveilleuses reproduites ci-dessus. La première est celle

2

3

du paradis terrestre, avec la création d'Eve, dont est issu le péché de la chair qui semble triompher sur le panneau central. Un enfer, dominé par des monstres et des instruments de musi-que, clôt cette parabole collective tumultueuse.

Triptyque du Jardin des Délices, *Madrid, Prado* :
1) Le Paradis terrestre ;
2) Le Jardin des Délices ;
3) L'Enfer musical.

Des scènes telles que celles qui sont présentées sur ces pages extraites du *Triptyque du Jardin des Délices*, et dont plusieurs détails sont ici agrandis, mériteraient à elles seules un ouvrage entier de commentaires. Miniaturiste exercé, Bosch parvint à regrouper sur l'espace restreint d'un tableau des centaines de figures sans rompre l'harmonie de l'ensemble. Dans ce triptyque, on est surtout frappé par le contraste violent qui oppose les scènes du panneau central et celles du volet de droite. Dans *Le Jardin des Délices*, les personnages nus semblent goûter en toute candeur aux plaisirs charnels. Dans *L'Enfer musical*, même les instruments de musique servent d'engins de torture. Le peintre donne libre cours à son imagination au travers de créations monstrueuses comme des oreilles démesurées coupées et transpercées.

Triptyque du Jardin des Délices, *Madrid, Prado* :
1) *et* 4) *Détails du* Jardin des Délices ;
2) *et* 3) *Détails de* L'Enfer musical.

Sur deux des panneaux du *Triptyque du Jardin des Délices*, Bosch nous présente deux types de fontaines. Celle de la vie, dans le *Paradis terrestre*, est constituée par un étrange monument de style gothique flamboyant, de couleur rosée, qui semble édifié avec des coquilles et des chélates de crustacés. Dans le *Jardin des Délices*, la fontaine est celle de l'adultère : un énorme globe gris-bleu que surmontent d'étranges

pinacles et autour duquel nagent les pécheurs nus. L'imagination du maître triomphe dans ces constructions comme dans les tours « minérales » étranges qui se déploient en corolle (comme celle reproduite au centre).

Triptyque du Jardin des Délices, *Madrid, Prado* :
1) *Détail du* Paradis terrestre ; 2) *et*
3) *Détails du* Jardin des Délices.

Bosch dépeint l'enfer et le paradis de manière fort insolite. L'effet pictural est pleinement atteint dans *L'Ascension vers l'Empyrée*, l'une des quatre *Visions de l'Au-delà*, avec l'entrée cylindrique lumineuse où sont aspirées les âmes des élus. Cette avancée majestueuse vers la lumière rappelle les vers du *Paradis* de Dante Alighieri et est une projection des conceptions médiévales qui sont à l'origine de la *Divine Comédie*. Le flamboiement du feu prime dans les enfers du *Triptyque du Chariot de foin* et du *Triptyque du Jardin des Délices*. Dans le premier, les diables, en tenue de maçons, érigent la tour infernale qui accueillera les damnés. Cette scène, que les détails des travaux de maçonnerie rendent réaliste, est des plus impressionnantes en raison de la lueur des incendies représentés en arrière-plan. Sur ce fond se détache le diable qui retient d'une main ferme une perche au bout de laquelle oscille un pendu. Un incendie fait également rage sur le fond de *L'Enfer musical* et illumine de lueurs sanglantes un marécage ténébreux et une foule tourmentée de damnés.

1) Détail des Structures infernales, *dans le* Triptyque du Chariot de foin, *Madrid, Prado.*
2) Détail de L'Ascension vers l'Empyrée, *dans* Les Visions de l'Au-delà, *Venise, Palais des Doges.*
3) Détail de L'Enfer musical, *dans le* Triptyque du Jardin des Délices, *Madrid, Prado.*

Le thème des saints en ermitage compte parmi les sujets favoris de Bosch : la solitude, la méditation, les tentations lui permettent de créer les atmosphères inquiétantes caractéristiques de son art. On voit ainsi saint Jean qui, retiré à Patmos pour méditer, interrompt ses écrits devant l'apparition d'un ange dont les ailes sont bordées de concrétions étranges.

Le paysage, profond et immense, les plis majestueux du manteau du saint, la vision de la Vierge qui se profile sur le disque solaire procurent une sensation de quiétude solennelle. A côté de l'évangéliste se trouve toutefois un « grylle », l'un de ces petits monstres à visage humain et à corps d'insecte nés de l'imagination du maître. Le charme est rompu ; la sérénité n'est qu'éphémère (au revers de ce *Saint Jean à Patmos*, Bosch peignit une grisaille ; là encore tranchant sur le fond noir, des démons sont répartis autour d'un tondo portant en son centre un pélican qui s'apprête à nourrir ses petits de son propre sang ; plusieurs scènes de la Passion y sont également illustrées). Dans le *Saint-Jérôme en prière*, la position même du saint — il n'est pas agenouillé tel qu'on le représente habituellement, mais allongé sur le sol et tenant un crucifix entre ses bras décharnés — rend la scène étonnamment irréelle. Un danger imminent semble planer dans le décor environnant où des formes étranges, issues de la métamorphose des roches, évoquent un bucrane (symbole de la mort).

1

1) Saint-Jérôme en prière, *Gand, Musée des Beaux-Arts.*
2) Histoires de la Passion, *au dos du tableau 3.*
3) Saint-Jean à Patmos, *Berlin-Dahlem, Staatliche Museen, Gemäldegalerie.*

2

Conformément à l'icono-
graphie traditionnelle, ce
Saint-Christophe, conservé
de nos jours à Rotterdam,
porte sur ses épaules l'enfant Jésus, tandis que bour-
geonne le bâton sur lequel
il prend appui. Pourtant,
dans cette scène, les signes
boschiens ne sont pas
absents : l'ours pendu, à
gauche ; le dragon qui
poursuit un homme nu, sur
l'autre rive du fleuve ; le
poisson accroché au bâton
(symbole du carême ?) ; la
cruche suspendue à l'arbre
et d'où ressort un ermite
qui se nourrit de miel (le
monde des sens). Tout
aussi boschien, de par son
réalisme magique, est le
vaste paysage vallonné que
sillonne le fleuve et où s'insère harmonieusement la
figure dominante du saint.
   Le paysage constitue un
élément fondamental dans
l'œuvre de Bosch, car, tout
en conservant son authenti-
cité propre, il concourt à la
signification de l'œuvre.
Ainsi, dans *L'Adoration des
Mages*, du *Triptyque de
l'Epiphanie* de Madrid, une
idole païenne juchée sur
une colonne et portant en
équilibre sur la tête un
croissant de lune, annonce,
semble-t-il, une enfilade de
constructions orientales au
milieu desquelles est
enserré un village nordique
du XVIe siècle ; une Jérusa-
lem imaginaire déplacée
dans un cadre familier au
peintre. De même, autour
de la figure de *Saint-Jérôme
en prière*, les eaux, les
arbres et les collines, ren-
dus par des touches de pin-
ceau épaisses et précises,
semblent plongés dans un
silence pesant. L'harmonie
des bruns et des verts rend
cette scène sacrée d'autant
plus mystérieuse.

1) Saint-Christophe,
*Rotterdam, Musée Boymans-
Van Beuningen.*
2) Détail de L'Adoration des
Mages, *dans le* Triptyque de
l'Epiphanie, *Madrid, Prado.*
3) Détail du tableau Saint-
Jérôme en prière, *Gand,
Musée des Beaux-Arts.*

Le *Triptyque de la Tentation*, de Lisbonne, fait partie des œuvres maîtresses de Bosch, parvenu désormais au faîte de sa maturité artistique. Son immense faculté d'invention — que l'on retrouve notamment dans la représentation des êtres monstrueux qui prolifèrent autour du saint — et sa maîtrise de la composition sont l'aboutissement de toutes ses études et expériences. La symbolique des troi panneaux est complexe, encore que l lecture de ce chef-d'œuvre puisse éga lement se faire en fonction des seule valeurs picturales. Sur la face intérieur

du volet de gauche, la juxtaposition des deux scènes qui normalement se succèdent dans le temps ne manque pas d'originalité : le saint est d'abord entraîné dans les airs par les démons, puis soutenu par ses disciples, après sa chute sur terre.

Triptyque de la Tentation, *Lisbonne, Musée national d'Art ancien* :
1) Le vol et la chute de Saint-Antoine ;
2) La Tentation ; 3) La Méditation.

1) 2) 3) *Détails du panneau central* La Tentation de Saint-Antoine, *dans le* Triptyque de la Tentation, *Lisbonne, Musée national d'Art ancien.*

Ces trois détails de *La Tentation de Saint-Antoine* (panneau central du *Triptyque de la Tentation*, de Lisbonne) montrent bien l'étrangeté des symboles et l'inventivité intarissable de Bosch. Le moine qui officie sur le côté de l'estrade où prie le saint a une tête porcine et une chasuble déchirée d'où ressortent ses entrailles. En bas, on aperçoit la voile de l'une des barques-poissons décorée d'une raie (poisson symbole d'impureté). Le pont-galerie qui conduit à la tour cylindrique ornée d'étranges bas-reliefs (peut-être les visions du saint) symbolise certainement un lupanar. Enfin, le gros poisson transformé en barque, qui apparaît au centre de la partie inférieure du tableau, porte sur le dos des diables simiesques occupés à pêcher (la pêche du diable). Ces images nous font penser aux rites de sorcellerie que réprimait sévèrement l'Eglise du XVIᵉ siècle. Le peintre en exécute des représentations oniriques que, de nos jours, des critiques ont interprété en se référant à la science des rêves et à la psychanalyse. D'autres prétendent que Bosch se serait soumis à des expériences à base de drogues hallucinogènes.

2

1

Des images bizarres et démoniaques peuplent non seulement la terre et les eaux, mais ausse les cieux qui surplombent Saint-Antoine dans le *Triptyque de la Tentation*, de Lisbonne. Le saint est entraîné dans les airs par les démons, comme dans une gravure connue du XVᵉ siècle de Martin Schongauer. L'inventivité de Bosch est cependant plus impressionnante : ses diables ont une forme de crapaud, de renard ou de souris ; autour du saint absorbé dans la prière s'élèvent dans les airs un homme-poisson et même un bateau transporté par un monstre et ayant à son bord un diable nu adoptant une pose impudique, et un poisson vorace. Le vol, c'est-à-dire la conquête des cieux, avant même toute découverte scientifique dans ce domaine, est l'une des inventions les plus évocatrices du maître. Dans l'angle en haut et à droite du panneau central, deux navires de guerre, dont l'un a une forme d'oiseau, s'affrontent comme dans un tournoi qu'ils se livreraient dans les airs, sans poids, avec, à leur bord, des êtres monstrueux. De même, dans le volet de droite, *La Méditation de saint Antoine*, le ciel est traversé par un énorme poisson sur le dos duquel se trouvent un homme et une femme d'aspect diabolique. Par ailleurs, dans le ciel apparemment serein du *Jardin des Délices* volent des griffons, des poissons et des hommes ailés. L'un d'eux, qui prend son essor, tient entre ses mains l'un des fruits « coupables » que l'on retrouve en divers endroits du tableau : une cerise.

1) 2) et 3) Détails du Triptyque de la Tentation, *Lisbonne, Musée national d'Art ancien. 4)* Détail du Jardin des Délices, *dans le* Triptyque du Jardin des Délices, *Madrid, Prado.*

3

4

Les scènes de la Passion
du Christ, l'un des princi-
paux thèmes traités dans
la peinture du XVᵉ et du
XVIᵉ siècles, ne pouvaient
certes pas être exclues du
répertoire de Bosch,
homme pieux et membre
de l'une des confréries
vouées au maintien de la
foi catholique. Bien que
respectant l'iconographie
traditionnelle, Bosch a
cependant su marquer
ces scènes de l'empreinte
de sa personnalité. Dans
La Montée au calvaire, de
Vienne, œuvre de la pre-
mière maturité, les inno-
vations apportées par le
maître par rapport à des
scènes analogues se décè-
lent dans certains détails :
en bas, à droite, le frère
qui confesse le bon lar-
ron ; la position du Cyré-
néen qui n'aide pas le
Christ à porter la croix,
mais l'effleure à peine, de
sorte que tout le poids de
la croix se concentre sur
la figure frêle placée au
centre du tableau et
entourée de visages hos-
tiles. Cette malveillance
est encore plus manifeste
dans les physionomies des
quatre personnages qui
entourent le Christ, vêtu
d'un manteau blanc et
l'air contemplatif, dans *Le
Couronnement d'épines*,
de Londres, peint en
pleine maturité. Là
encore, certains signes
typiques de Bosch sont
reconnaissables : flèche
traversant le turban de
l'homme qui tient la cou-
ronne d'épines, collier
hérissé de clous de
l'homme en noir, crois-
sant de lune imprimé sur
les pans de la capuche
rouge du vieillard au
regard pervers.

1) Le Couronnement d'épines,
Londres, National Gallery.
2) La Montée
au calvaire, *Vienne,*
Kunsthistorisches Museum.

1) Triptyque de l'Epiphanie, *Madrid, Prado.*
2) 3) et 4) Détail du triptyque 1.

4

Sous l'apparente «normalité» du *Triptyque de l'Epiphanie*, de Madrid, le dernier des grands triptyques connus, se cachent des images insolites. Derrière les figures altières du donateur (identifié comme étant Pierre Bronckhorst) et de son protecteur, Saint-Pierre, on voit Saint-Joseph, en haillons, qui fait sécher du linge sous un appentis délabré placé parmi les ruines d'un édifice païen.

Un crapaud se tient posé en équilibre précaire sur le portail qui se trouve devant le saint. Des diablotins regardent furtivement de part et d'autre de l'entrée.

Le vase sphérique dans lequel le roi maure Gaspard conserve la myrrhe porte sur son couvercle un pélican (symbole du Sauveur). Les figures finement ciselées représentent les trois rois qui demandent de l'eau à David (préfiguration de l'Epiphanie). La figure de l'homme demi-nu et enchaîné qui se profile sur le seuil de la porte de la cabane avec une couronne d'épines sur son turban et vêtu d'un ample manteau écarlate, est énigmatique. D'après certains commentateurs, Bosch aurait voulu ici symboliser l'hérésie ; d'autres y voient une représentation de l'Antéchrist.

La scène imposante de l'arrivée des rois mages à la cabane, sur le panneau central du *Triptyque de l'Epiphanie*, est l'un des exemples les plus saisissants de la facture picturale de Bosch. La dignité des personnages rappelle les compositions du Maître de Flémalle et de van Eyck. La richesse des costumes, la beauté plastique des drapés, la finesse des bijoux font penser aux peintures les plus célèbres de Dürer et de Cranach. Toutefois, si l'on observe cette œuvre en dehors de sa composition et de ses qualités strictement picturales, on décèle une multitude de détails énigmatiques. En premier lieu, le prétendu Antéchrist (voir aussi page 55) qui se penche sur le seuil de la cabane, avec un sourire ambigu ; puis les figures qui épient derrière la Vierge et qui sont peut-être de « mauvais bergers ». Sous le petit groupe de statues en or posé aux pieds de la Vierge et figurant le sacrifice d'Isaac, sont écrasés les crapauds de l'hérésie. Le motif des oiseaux-monstres brodés sur la bordure de la chape de Gaspard est, lui aussi, hérétique.

Détail de L'adoration des Mages, *dans le* Tryptique de l'Epiphanie, *Madrid, Prado.*

1) La Tentation de Saint-Antoine,
Madrid, Prado.
2) *et* 3) *Détails de* L'Adoration des
Mages, *dans le* Triptyque de l'Epiphanie, *Madrid, Prado.*

2   3

Dernière vision boschienne peut-être du thème de la *Tentation de Saint-Antoine,* ce tableau, conservé de nos jours au Prado, regroupe subtilement des éléments diaboliques et des paysages ravissants. Le saint, en pleine méditation, équivaut au point focal de la composition et ne semble aucunement troublé par les diableries qui se pressent autour de lui. Le monde infernal, bien que toujours présent, semble ici isolé, en marge. Contemplatif, le saint est placé entre l'abri d'un arbre creux et les eaux d'un paisible ruisseau (autrement dit entre les tentations et la soif mystique). La splendeur dans lequel s'insère la chaumière témoigne d'une maîtrise picturale exceptionnelle. Dans cette nature sereine se glissent les motifs boschiens habituels : diablotins multiformes, couteau ébréché, échelle, cruche du Diable, pièces d'armures. De même, dans d'autres œuvres, telle que l'*Adoration des Mages,* du *Triptyque de l'Epiphanie,* deux « mauvais bergers » sont hissés sur le toit de la cabane ; la troupe de cavaliers armés fait peut-être partie de la suite de l'Antéchrist.

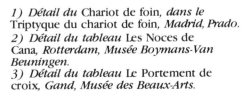

1) *Détail du* Chariot de foin, *dans le* Triptyque du chariot de foin, *Madrid, Prado.*
2) *Détail du tableau* Les Noces de Cana, *Rotterdam, Musée Boymans-Van Beuningen.*
3) *Détail du tableau* Le Portement de croix, *Gand, Musée des Beaux-Arts.*

Les figures féminines (à l'exception des nus rosés du *Jardin des Délices*) n'occupent pas une place prépondérante dans l'œuvre de Bosch. A l'évidence, le peintre était convaincu de la « culpabilité » de la femme. Pourtant, lorsqu'il s'éprend d'une figure de femme, le maître le fait avec le regard du peintre toujours attentif aux coiffures et aux vêtements. (Dans plusieurs cas, ces éléments secondaires ont permis de dater les œuvres.) Les deux femmes représentées dans la partie inférieure gauche du *Chariot de foin* figurent respectivement une bohémienne lisant les lignes de la main d'une patricienne, dont la robe largement décolletée et à manches amples est typique du début du XVIe siècle. La femme qui porte une coupe à ses lèvres et se trouve au bout de la table dans *Les Noces de Cana* a fait l'objet d'une étude plus approfondie : c'est une figure hiératique dont la coiffure est singulière et le profil parfaitement esquissé — comme l'est celui de l'unique figure de femme, Véronique, qu'entourent les visages grimaçants du *Portement de croix*, de Gand. Ce visage aux yeux clos (pour ne pas voir peut-être le mal qui sévit alentour), peint par touches légères dans des coloris frais et transparents est le plus beau portrait de femme que l'artiste nous ait laissé.

Les diables de Bosch déploient une activité frénétique pour faire expier aux pécheurs toutes leurs erreurs. Dans *L'Enfer musical*, du *Triptyque du Jardin des Délices*, un homme en armes se fait dévorer par une meute farouche de chiens diaboliques ; un autre damné, casqué, est transpercé par la lance d'un démon ailé. Dans *Les Structures infernales*, du *Triptyque du Chariot de foin*, un pêcheur nu se laisse entraîner vers la tour-prison par deux accompagnateurs monstrueux, mi-hommes, mi-bêtes, tandis qu'un autre démon ailé se penche sur une femme tombée à la renverse qui porte sur le bas-ventre un crapaud (symbole de l'orgueil). Dans *Le Jugement dernier*, panneau central du *Triptyque du Jugement dernier*, de Vienne, un monstre, qui porte sur le corps les marques du « feu de saint Antoine », maladie endémique du temps de Bosch, fait rôtir à feu doux un damné empalé sur une broche — punition que les textes mystiques du Moyen Ange réservaient aux avares. Près de la cheminée, un autre personnage à visage humain, mais à pattes d'oiseau rapace, tient une grande poêle dans laquelle cuit un pêcheur (un homicide).

1) Détail de L'Enfer musical, *dans le* Triptyque du Jardin des Délices, *Madrid, Prado.*
2) Détail des Structures infernales, *dans le* Tryptique du Chariot de foin, *Madrid, Prado.*
3) Détail du Jugement dernier, *dans le* Tryptique du Jugement dernier, *Vienne, Académie des Beaux-Arts.*

Identifié par certains comme ayant fait partie du *Jugement dernier* que Philippe le Beau avait commandé à Bosch en 1504, ce fragment, conservé à Munich, est l'une des diableries qui rendirent célèbre le peintre auprès de ses contemporains. Ici, la noirceur du fond met en relief les couleurs vives dans lesquelles sont peints les démons et les pécheurs : jaunes, bleus et rouges. Entre autres figures de damnés, on distingue un roi, un évêque et un empereur qui a les mains posées sur sa couronne. Tous sont harcelés sans répit par des diables. Cette scène a

d'autant plus d'attrait que le monde monstrueux qui y est dépeint ressort sur ce fond obscur. Le contenu moralisateur de l'œuvre s'efface devant la force d'expression proprement dite qui tend à susciter des frayeurs intenses.

Le jugement dernier, *Munich, Pinacothèque.*

Dans ce monstre vu de dos et tête renversée, qui engloutit un pécheur lacéré par ses crocs démeusurés, on peut voir le symbole de la « diabolique » inventive de Bosch. La manière dont le maître traitait ses scènes infernales complexes fit école. On peut en citer pour exemple le pan-neau central du *Triptyque du Juge-ment dernier*, de Vienne, qu'exécutèrent probablement des élèves de l'artiste — lequel y colla-bora certainement, mais ne l'acheva pas personnellement. Les scènes de torture, terrifiantes, y sont innom-brables, mais l'harmonie de la com-position typiquement boschienne y est absente.

1) *Détail du* Jugement dernier, *Munich, Pinacothèque.*
2) *Détail du* Jugement, *Vienne, Académie des Beaux-Arts.*

Considéré comme la dernière œuvre connue de Bosch, *Le Portement de croix*, de Gand, peut passer à juste titre — tout problème de datation mis à part — pour l'ultime appel de l'artiste aux hommes. Le diabolique est ici illustré par des êtres humains aux traits déformés par la haine et la méchanceté. L'espace est entièrement comblé de têtes qui, étroitement regroupées autour des effigies recueillis de Véronique et du Christ, symbolisent la bestialité dont l'homme peut subir l'emprise.

Le portement de croix, *Gand, Musée des Beux-Arts*

Le Monde de Bosch

En l'absence de documents, sa personnalité, difficile à cerner, est encore controversée.

LE VISAGE ENIGMATIQUE QU'ENTOURENT LES MONSTRES DE L'ENFER EST-IL UN AUTOPORTRAIT ?

Comme tous les peintres de son temps, Jérôme Bosch inséra sans doute son propre visage parmi ceux des personnages qui peuplent en grand nombre ses tableaux. Ce visage, aussi énigmatique et mystérieux que la peinture où il ressort, serait, dit-on, celui de l'« homme alchimique » (reproduit page 4) que l'on voit dans la partie supérieure de *L'enfer musical*, sur la face intérieure du volet droit du *Triptyque du Jardin des Délices*.

Ayant un tronc d'arbre en guise de corps, une barque pour chaussure et, pour chapeau, un plateau sur lequel évoluent d'étrange personnages autour d'un alambic fumant, cet « homme alchimique » pourrait, à prime abord, sembler caricatural. Le visage — le seul qui soit « personnalisé » si on le compare à ceux de la foule qui grouille sur le plateau — frappe aussitôt par son apparence réaliste. Comme l'écrit le critique Gilles Dorfles : « Il diffère de tous les autres — impersonnels, démoniaques ou hagards — car c'est le seul visage conscient, le seul qui sache, qui veuille, qui juge, qui prévienne, qui peut-être raille et méprise, mais qui peut-être aussi compatisse et pardonne. ».

En outre, la ressemblance que présente cet autoportrait présumé avec le célèbre dessin conservé de nos jours à la bibliothèque d'Arras (voir page 17) et que chacun s'accorde à reconnaître comme l'unique portrait du peintre de Bois-le-Duc, est saisissante. L'histoire de ce croquis — comme le rapporte J.H. Plokker — est

quelque peu romanesque. Il ne s'agit pas — comme quelqu'un l'a cru — d'un portrait de l'artiste exécuté « sur le vif ». Il n'apparaît que quarante-cinq ans après la mort de Bosch dans la collection — entreprise en 1560 — de Jacques Lebourcq. Résidant à Valenciennes, ce peintre-généalogiste possédait un recueil de 275 portraits de personnages célèbres dont il avait éxécuté le croquis, par déduction, d'après des portraits et des autoportraits.

Jan Mosmans, archiviste de la cathédrale Saint-Jean à Bois-le-Duc et auteur, en 1947, d'un ouvrage sur la vie et l'œuvre du peintre, émet l'hypothèse suivante : Lecourq, las de voir sa collection privée de l'effigie d'un homme aussi important que Bosch, aurait procédé à des recherches à Bois-le-Duc. Il y aurait rencontré un peintre homonyme du maître (sans doute s'agissait-il de Hieronymus Jannen Goessenzoon van Aken qui, vers 1560, avait un atelier dans la Waterstraat). Ce peintre lui aurait montré un ancien dessin représentant l'un des membres de la famille van Aken sans lui préciser s'il s'agissait de Bosch en personne ou d'un autre homme. A ce dessin, acquis ou reproduit par Leboucq, un antiquaire aurait, par la suite, apposé le nom mal orthographié de Bos (« Jeronimus Bos painctre »).

Selon Mosmans, ce visage, désormais célèbre et reconnu comme étant celui de Jérôme, serait au contraire le portrait du père du peintre, Anthonis van Aken, qu'aurait dessiné l'un de ses fils. Par conséquent, le portrait gravé par Hironymus Cock et reproduit dans le recueil de Lampsonius *Pictorum aliquot celebrium Germaniae inferioris effigies*, édité à Anvers en 1572, serait faux. Cette gravure (voir page 13) rappelle étrangement le dessin d'Arras soit parce qu'elle en constitue une réplique-

légèrement retouchée, soit parce que les deux — dessin et estampe — ont eu trait au même modèle.

Rare sont ceux qui, toutefois, partagent l'opinion de Mosnans (des études ont même été entreprises sur la psychologie du peintre, d'après ce dessin d'Arras). Le père Gerlach, l'un des biographes de Bosch les plus avisés et les mieux documentés, a récemment fait remarquer que Leboucq était en contact étroit avec plusiers dignitaires de Bois-Le-Duc, membres de la Confrérie de Notre-Dame : le généalogiste aurait donc dû aisément authentifier sur place une effigie du maître et en exécuter lui-même, par déduction, le croquis souvenir pour son album.

Mosmans affirme en revanche que le véritable visage de Bosch encore jeune se trouve dans le personnage central du *Cortège des Mages*, conservé aujourd'hui à Philadelphie. D'après lui également, le peintre, alors âgé de 57 ans environ, aurait fait son autoportrait dans le *Couronnement d'épines,* de l'Escurial : ce serait le second personnage à gauche qui n'ait pas de couvre-chef.

Pour clore cette chronique, signalons également d'autres autoportraits présumés cités de temps à autre par certains érudits : le premier visage visible en bas à gauche dans *La montée au Calvaire*, de Vienne ; le « grylle » (le petit monstre composé uniquement d'une tête et de jambes) placé à droite de Saint Antoine dans le *Triptyque de la Tentation*, de Lisbonne ; le présumé enfant prodigue dans le tableau homonyme de Rotterdam. Ces hypothèses, plus ou moins contestables, ne s'appuient sur aucun document. Ce qui est certain c'est que, à l'instar d'autres artistes de son temps, tel Grünewald ou Altdorfer, Jérôme Bosch n'a rien fait pour que ses traits soient universellement connus.

Le monde de Bosch

UN « DRAME » DANS L'HISTOIRE DE LA FAMILLE VAN AKEN

Dans les chroniques relatives aux divers van Aken, dont ceux qui n'étaient pas nécessairement apparentés avec la famille de Bosch et dont les noms apparaissent pour la première fois dans les registres de Bois-Le-Duc dès la fin du XIVᵉ siècle, nous découvrons même un meurtre. Lambrecht van Aken, éventuel parent du fourreur Jan, est assassiné en 1406 par un certain Peter van Aken. Hormis l'annonce pure et simple de ce meurtre, on ignore presque tout de ce « drame » médiéval. En revanche, les détails abondent davantage sur la vie de Jan van Aken, grand-père de Jérôme Bosch.

En 1430-31, les registres de la Confrérie de Notre-Dame portent l'indication de l'inscription de « maître Jan van Aken et de Katelinen, sa femme ». A la même période, la confrérie verse 16 florins d'or au nouveau confrère pour un tableau représentant Sainte-Anne, un baldaquin, un ciboire et divers objets destinés à la procession mariale traditionnelle qui, chaque année, se déroulait dans la ville : 36 chapeaux, 4 lys, une bannière pour les rois Mages, des vêtements et des ornements. Cette précision nous permet d'en conclure que Jan était un homme « à tout faire » : non seulement il exécutait des tableaux et des fresques (telle celle du *Christ en croix* qu'on lui a attribuée et qui se trouve dans la cathédrale Saint-Jean), mais il faisait aussi office de costumier, de maçon, de restaurateur et de décorateur.

L'examen des annotations des trésoriers de la confrérie permet ainsi de retrouver, toujours en faveur de Jan, un versement de 11 florins d'or et de 14 sous pour l'exécution d'une grille en bois et d'un autel de la Vierge (1432) ; un autre versement effectué à la même période de 2 florins pour qu'il peigne, en prévision de la procession, la robe de ·Marie l'Egyptienne, » en compagnie de plusieurs confrères, de plusieurs ouvriers et orfèvres ». En 1434-35, Jan van Aken perçoit 6 *peter*, soit l'équivalent de 37 florins, pour dorer un certain nombres de couronnes et les orner de draps de lin. L'artiste ne refuse pas des travaux humbles comme de « rattacher la main de la Vierge », « dorer les perles endommagées quand tombe la couronne », « recouvrir de tissu deux prophètes », et « confectionner trois barbes ».

Les van Aken, semble-t-il, étaient spécialisés dans la préparation des costumes, des déguisements et des décorations pour les processions et les spectacles évangéliques organisés par la confrérie. Des paiements pour de tels travaux sont signalés à l'intention de Goosen, Jan et Thomas, frères d'Anthonis, père de l'illustre Jérôme.

Anthonis van Aken est cité pour la première fois dans un document officiel en 1454-55 — date de son inscription, ainsi que de celle de sa femme Aleyt, à la confrérie de Notre-Dame. L'ouvrage le plus connu qui lui ait été confié date de 1461-62 alors que, vraisemblablement, Jérôme était déjà né. Un document de l'époque a effectivement trait à la mise en œuvre d'un grand retable dédié aux rois Mages dans la cathédrale Saint-Jean. Un fait divers survenu alors témoigne de l'importance de l'œuvre : le porteur chargé de la transporter fait une chute et se blesse gravement. Cinq ans après, Anthonis peint également les volets du retable. Pour l'ensemble, il perçoit 47 florins et 6 couronnes ; 11 sous supplémentaires lui sont versés « pour aller prendre les tableaux et les remettre sur l'autel ».

Un acte public annonce la mort du peintre le 29 décembre 1480. D'après les registres des comptes de la confrérie, où sont également annotées les « taxes mortuaires », on apprend enfin qu'Anthonis avait eu, après la mort d'Aleyt, une seconde femme. Cette belle-mère de Jérôme portait le nom de Metcheld.

PREMIERS DONATEURS NANTIS DANS LA CONFRERIE DU CYGNE BLANC

L'appartenance de Bosch à la Confrérie de Notre-Dame est l'un des rares éléments de sa biographie dont on ne puisse douter : des documents irréfutables prouvent que, après y avoir été admis en 1486-87, le peintre continua à faire partie de cette institution religieuse jusqu'à sa mort (c'est justement grâce à un registre de la confrérie que l'on sait que ses obsèques eurent lieu le 9 août 1516).

Du vivant de Bosch, la confrérie existait déjà depuis près de deux siècles : elle avait été fondée en 1318 afin de promouvoir le culte, en particulier celui de la Vierge. Le temps aidant, le nombre de ses adhérants et ses centres d'intérêt s'étaient élargis. Vers la fin du XVᵉ siècle, à son objectif originel, étaient venues s'ajouter d'autres occupations intéressant les activités de la ville : représentations de Mystères, processions, promotion de la musique religieuse et des arts. Vers la fin du Moyen Age, la confrérie pouvait ainsi s'enorgueillir d'avoir éveillé, dans la ville isolée de Bois-Le-Duc, certains intérêts culturels.

La confrérie ne restreignit pas sa zone d'influence à la ville où elle avait été fondée. Dès 1437, elle envoya ses « zélateurs » dans d'autres centres du Brabant, de la Hollande et de la Rhénanie. Ces mandataires recrutaient de nouveaux confrères et collectaient la taxe d'inscription (même les adhérents qui préféraient quitter la confrérie devaient payer une certaine somme). La pieuse institution cumulait également des recettes grâce au « droit de mort » que chaque confrère — ou, à défaut, sa famille — devait régler d'avance ou au moment des funérailles.

Le Monde méchant, *face intérieure du volet gauche du* Triptyque du Déluge, *Rotterdam, Musée Boymans-Van Beuningen.*

Grâce à la collecte de cet argent, la confrérie avait accumulé de nombreux biens qu'elle redistribuait pour aider les pauvres ou à des fins religieuses. Elle se chargeait, entre autres, de l'entretien d'une chapelle dans la cathédrale Saint-Jean, et de celui de l'édifice de la corporation qui abritait les bureaux centraux de l'institution et les salles de réunion.

Qu'ils fussent laïques ou religieux, nobles ou bourgeois, les confrères de Bois-Le-Duc faisaient tous partie de l'élite de la ville. On imagine aisément que, au sein même de la confrérie, des liens d'affaires devaient également se nouer. Bosch, qui en devint membre après s'être lié, grâce à son mariage, à l'une des familles nanties de la région, y trouva donc maintes occasions de proposer ses services : non seulement pour les petits ouvrages d'artisanat dont il recevait de temps à autre la commande (comme l'indiquent les registres de la confrérie), mais aussi fréquentant le milieu le plus habilité à lui commander des tableaux.

La Confrérie de Notre-Dame avait inscrit un cygne blanc dans son blason. Ses membres portaient également le nom de «frères du cygne». Les registres de l'institution nous signalent que Bosch offrit en 1498-99 un «banquet du cygne» chez l'un de ses confrères (pour la circonstance, on dressait des cygnes rôtis). Cet oiseau figure dans certaines de ses œuvres, notamment dans l'enseigne de la taverne, dans *L'enfant prodigue.*

Après le mariage de Maximilien de Habsbourg et de Marie de Bourgogne et l'atteinte à l'indépendance et aux libertés civiques et commerciales qui s'ensuivit, les bourgeois et les nobles de la confrérie s'allièrent. C'est de cette alliance que naîtra l'Etat Hollandais. Les seigneurs d'Orange-Nassau, les Egmont, les Horns et tous les nobles dans les palais desquels les œuvres de Jérôme Bosch furent sai-

Le monde de Bosch

sies sous le règne de Philippe II étaient tous membres de la pieuse institution. La confrérie soutint activement le mouvement d'opposition contre les Habsbourg aux Pays-Bas.

Sources littéraires éventuelles

Sur le tableau d'un peintre anonyme, disciple de Bosch, on voit une scène étrange et «démoniaque» : le motif central est une tête monstrueuse dont les yeux sont remplacés par deux fenêtres rondes et dont le nez pointu déverse un flot de pièces. Cette œuvre porte l'inscription *Visio Tondali* (Visions de Tungdal). L'ouvrage qui porte le même titre occuperait assurément la place d'honneur dans une «bibliothèque imaginaire» dans laquelle Bosch aurait puisé les thèmes et les images que nous retrouvons dans ses tableaux.

Les *Visions de Tungdal* est un ouvrage qu'écrivit en latin en 1149 le frère Marc, un moine bénédictin qui vivait dans un couvent de Ratisbonne, en Allemagne. Le héros est un chevalier cruel, dépravé et impie qui, frappé sauvagement par l'un de ses débiteurs au cours d'un banquet, se retrouve sans connaissance pendant trois jours ; son âme, s'étant échappé de son corps inerte, est escorté dans l'au-delà par l'ange gardien. A son retour, horrifié par ce qu'il a pu voir, repenti de ses péchés, Tungdal devient dévôt et distribue ses biens aux pauvres.

Ce voyage de trois jours dans l'au-delà offre à l'auteur l'occasion de décrire, en termes crûment réalistes, les tortures atroces auxquelles sont soumis les pécheurs en enfer. C'est justement de cette partie du récit que Bosch semble s'être inspiré pour plusieurs de ses représentations de monstres (le livre, dont il existait diverses versions en latin et en allemand, fut publié en flamand à Anvers en 1482, sous l'instigation de Mathias van der Goes, et fut réimprimé à Bois-le-Duc en 1484).

On retrouve des éléments extraits de ces *Visions* dans le volet droit, *Les Structures infernales*, du *Triptyque du Chariot de foin* (le chevalier qui, transpercé par une lance, chevauche un bœuf et tient un calice d'or, ainsi que le pont infernal) et dans *L'Enfer musical*, du *Tryptique du Jardin des Délices* (le monstre bleu qui dévore les damnés pour ensuite les expulser de son propre corps).

Bosch connut certainement un autre texte, la *Légende dorée*, recueil de biographies et de légendes de saints rédigé par le dominicain Jacques de Voragine (v. 1228-1298), dont la première traduction flamande parut à Gouda en 1478. Les image des tortures par les démons à Saint-Antoine dans le *Tryptique de la Tentention*, de Lisbonne, de même que la scène du *Saint Christophe*, de Rotterdam, où l'enfant Jésus fait peser sur les épaules du saint tout le poids du monde, semblent directement inspirées de ce recueil. Quand au thème de la tentation, si cher à Bosch, il faut savoir qu'un texte ancien de Saint Athanase (v. 295-375), et retraçant la vie de saint Antoine, avait été publié en flamand dans un anthologie de la vie des saints, publiée à Zwolle en 1490.

On pourrait ajouter à cette «bibliothèque imaginaire» du peintre de Bois-le-Duc d'autres ouvrages hagiographiques et théoriques répandus à l'époque — en sus, bien entendu, de la Bible : entre autres, et sans nul doute, les écrits mystiques de Jan van Ruysbrœk 1293-1381), dictés dans l'ermitage de Soignes, près de Bruxelles, où le religieux s'était retiré en 1343, ainsi que ceux d'Albert le Grand mort en 1280. Le mysticisme de l'artiste semble également inspiré par les traités et les sermons de Denis de Rijckel, fondateur du convent des Chartreux, et de Jean Charlier, dit Gerson, très influents au XVe siècle et engagés dans le mouvement de la «dévotion moderne» qui avait influencé nombre d'institutions, dont la Confrérie de Notre-Dame, nous pouvons par ailleurs ajouter la *Pérégrination de Saint-Brentan* du siècle, dont la version flamande remonte à 1370 ; l'*Ars moriendi* (Art de mourir), imprimé à Zwolle entre 1465 et 1500, et le célèbre *Malleus maleficarum* (Marteau des maléfices), publié à Strasbourg en 1487 par les soins de l'inquisiteur allemand Henri Kramer et de Jacques Spencer, qui fut à l'origine de la «guerre aux sorcières». D'après ce manuel, Dieu aurait permis au Malin (le Diable) d'agir sur la terre par l'intermédiaire de magiciens et de sorcières. Or, la description des pratiques hérétiques et le moyen de les combattre font partie de l'univers que Bosch a illustré dans plusieurs de ses œuvres.

Erwin Panofsky émet, quant à lui, l'hypothèse que le peintre de Bois-Le-Duc aurait également été influencé par le poème allégorique *Pélérinage de la vie humaine* (1355) de Guillaume de Doguileville, imprimé en flamand à Haarlem en 1486. Certaines images décrites dans cet ouvrage l'attesteraient, telles les oreilles humaines transpercées d'épingles et de couteaux (dans *L'Enfer musical* du *Triptyque du Jardin des Délices*). D'autres représentations de type boschien — cannibales, nains, géants, animaux étranges, valées du diable, paradis terrestres — se retrouvent dans le *Voyage de Jean de Mandeville*, rédigé entre 1356 et 1357 par un médecin de Liège, Jehan de Bourgogne. Enfin, le poème satirique *La Nef des fous* du poète allemand Sebastien Brant, publié à Basilea en 1494 (aux gravures duquel avait contribué dans sa jeunesse Albrecht Dürer) inspira directement la célèbre œuvre du même nom de Bosch.

A-T-IL EU DES LIENS AVEC UNE SECTE HERETIQUE ?

Les images « diaboliques » qui apparaissent dans de nombreuses œuvres de Bosch et l'illustration que fit le peintre de thèmes religieux sans se conformer à l'iconographie traditionnelle ont incité certains critiques à penser que l'artiste aurait peut-être contracté des liens avec quelque secte hérétique. Selon Wilhelm Fraenger, érudit allemand, Bosch aurait été en relation avec les *Homines intelligentiae*, secte sympathisante avec l'hérésie — que l'Eglise avait toujours condamnée — des Frères et Sœurs du Libres Esprits, qui s'était imposée à partir du XIIIᵉ siècle et avait déjà conquis une certaine audience aux Pays-Bas dès le début du XVᵉ siècle.

D'après Fraenger, Bosch aurait exécuté ses œuvres religieuses « traditionnelles » sur commande de donateurs ecclésiastiques ou, de toute manière, fidèle serviteur de la foi catholique. La partie non traditionnelle, au contraire, celle qui apparaît surtout dans les grands triptyques, serait inspirée des théories du Libre Esprit, auxquelles l'artiste aurait été initié par le grand maître présumé de la secte, Jacob de Almaengien, qui vécut à Bois-le-Duc à la fin du XVᵉ siècle.

Inscrit, comme Bosch, à la Confrérie de Notre-Dame, de Almaengien, sans doute un israélite d'origine allemande, avait été baptisé le 15 décembre 1496 dans la cathédrale Saint-Jean en présence de Philippe le Beau et d'autres dignitaires. Au dire du chroniqueur du XVIᵉ siècle Albert Cuperin, cet étrange personnage se serait par la suite reconverti au judaïsme. Aucun document ne prouve cependant que de Almaengien ait eu un lien quelconque avec la secte du Libre Esprit. Tout au plus, comme l'écrit Ervin Panofsky, « on peut le tenir en partie responsable de la connaissance indéniable que Bosch avait des légendes et des mœurs hébraïques ».

Groupe pseudo-mystique, dont les membres professaient des doctrines panthéistes, qui avaient pour effet une dissolution extrême des mœurs, les Frères du Libre Esprit croyaient possible l'union parfaite de l'homme et de Dieu. En vertu de cette croyance, ils estimaient que l'homme ne devait être soumis à aucun code moral. Certains documents montrent, par exemple, que, lors de leurs assemblées religieuses, les spectateurs s'adonnaient à des pratiques adamiques qui se terminaient par de véritables orgies (toujours d'après Fraenger ; on retrouvait une illustration de ces pratiques dans le panneau central du *Tryptique du Jardin des Délices* où le paysage fantasmagorique fourmille d'hommes et femme nus.)

A l'exemple des hérétiques du Libre Esprit, les *Homines intelligentiae* d'après ce qu'il en ressort des déclarations faites par un certain « Aegidius cantor », membre laïque de la secte, au cours d'un procès tenu vers 1411 devant le tribunal de l'évêque de Cambrai), affirmaient que l'humanité tout entière est vouée au salut, que l'enfer et la résurrection de la chair n'existent pas, que les sermons sont inutiles et que le Mal, comme le Bien, ne dépend que de la volonté divine. Le châtiment des pécheurs était donc, selon eux, plus grave encore que le péché lui-même.

Un autre critique, C.A. Wertheim Aymès, considère que l'étrangeté de certains œuvres de Bosch résulterait des conceptions ésotériques prônées par une autre secte mystérieuse, celle

des Rosa-Croce. La secte aurait été fondée en 1413 par Christian Rosenkreuz (d'où son nom), un Allemand qui aurait parfait son savoir à l'occasion de plusieurs voyages au Moyen-Orient et en Afrique du Nord. Mort en 1484, il aurait fait ensevelir d'importants documents dans sa tombe en exigeant qu'on ne la rouvrit que 120 ans après. En 1604, des annotations mystérieuses extraites de cette sépulture auraient permis à Johan Valentin Andreae de relater l'histoire des Rosa-Croca en publiant par ailleurs en 1616 un écrit fantastique attrivué à Rosenkreuz et intitulé les *Noces chimiques*.

S'il demeure difficile de prouver la relation qu'aurait entretenue Bosch avec la secte du Libre Esprit et celle des *Homines intelligentiaie,* tout rapprochement avec les Rosa-Croce relève de la pure fiction. Le seul lien dont les documents disponibles attestent l'existence est celui que le maître a eu avec la Confrérie de Notre-Dame, association purement orthodoxe.

INTERPRETATIONS PSYCHANALYTIQUES DE SA PERSONNALITE : PARANOIA, SADO-MASOCHISME, NEVROSE OBSESSIONNELLE

Forte des célèbres études de Sigmund Freud sur Léonard de Vinci, la psychanalyse moderne ne pouvait certes pas ignorer une personnalité aussi énigmatique que celle de Bosch. Toutefois, en l'absence d'écrits de l'artiste et de témoignages précis sur sa vie, les psychanalystes n'ont pu esquisser un « portrait psychologique » de Bosch qu'en se fondant sur l'interprétation d'une partie donnée de son œuvre (en général, celle que l'on peut qualifier de démoniaque ou de suréaliste). A cette étude est venue s'ajouter une individualisation des composants caractérielles à travers la physionomie du sujet, d'après le fameux portrait dessiné, conservé de nos jours à Arras.

Ce dessin d'Arras — en admettant qu'il représente effectivement Jérôme Bosch — nous montre un homme prématurément vieilli, aux lèvres minces et dont le regard éclatant semble embrasé par un feu intérieur. Certains détails, comme la pomme d'Adam proéminente, la maigreur, le profil triangulaire ont incité

Le monde de Bosch

les spécialistes à classer l'artiste dans la catégorie des « asthéniques » ou des « leptosomiques » (sujets graciles, également caractérisés par une cage thoracique peu développée, une patite tête, un nez long et pointu). A cette morphologie correspond un tempérament « schizothymique », c'est-à-dire celui d'un sujet qui ne se contente pas du « juste milieu », mais peut passer d'un extrême à l'autre, de l'enthousiasme au découragement. De telles natures, sociables et dynamiques, peuvent subitement céder au pessimisme et devenir taciturnes. L'œuvre de Bosch se prête très bien à cette « interprétation schizothymique » : comme le souligne F.M. Huebner, il en découle un dialogue constant entre la joie et la douleur, entre l'agréable et le sordide.

L'analyse du personnage à travers l'examen de ses tableaux repose sur une théorie bien connue selon laquelle l'œuvre d'art serait un « phénomène de projection » de l'inconscient de l'artiste. Cette interprétation étant, d'aucuns soutiennent que les tendances sado-masochistes occupent une place importante dans le psychisme du peintre ; d'autres décèlent au contraire les caractéristiques structurelles d'une « névrose obsessionnelle ». Jacques Lacan, célèbre représentant de l'école freudienne de Paris, met l'accent sur les scènes de castration, d'émasculation, de mutilation, de démembrement, d'éventration. d'explosion du corps, et en tire la conclusion qu'il suffit de feuilleter un ouvrage où sont reproduits l'ensemble et les détails de l'œuvre de Bosch pour y reconnaître l'atlas de toutes les images agressives qui tourmentent les hommes.

Il en est d'autres qui, comme l'a fait Pierre Rabin, préfèrent qualifier de « délices d'un rêve érotique » la visualisation des nus qui foisonnent dans le panneau central du *Tryptique du Jardin des Délices*, projection de l'érotisme latent du peintre. J.H. Plokker ajoute que Bosch, « paranoïaque » projette son avidité sexuelle dans la sphère lascive du diable.

D'autres critiques, enfin, s'attardent sur l'une des rares données connues de la vie du peintre qui remplaça le nom de son père « van Aken » par celui de Bosch. On peut de surcroît relever que l'un des thèmes préférés de l'artiste est celui des tentations de Saint-Antoine (le père de Jérôme s'appelait justement Antoine). Dans ce cas, il faudrait en conclure en l'existence prépondérante dans son psychisme du « complexe d'œdipe », c'est-à-dire d'un sentiment d'hostilité et de rivalité à l'égard du père. L'amour pour sa mère qui en aurait résulté serait confirmé par le fait que Bosch épousa une jeune fille qui s'appelait Aleyt, nom que portait sa propre mère.

Comme on peut le constater, ces interprétations aussi variées que contradictoires sont souvent fondées sur de simples hypothèses et ne doivent être reçues qu'avec la plus grande prudence. L'interprétation du thème du feu, souvent illustré dans les œuvres de Bosch, traduit assez bien ces contradictions. Selon G. Bachelard, il implique un désir de changer, d'accélérer le rythme du temps, de porter toute la vie à son teme, à son au-delà. Le feu dit-il, est, dans le langage psychanalytique, symbole de péché, de mal. M.G. Gossart, au contraire, affirme (de manière beaucoup plus logique) que les représentations du feu ne seraient que les projections d'une « immense terreur » inscrite dans l'inconscient de Bosch encore enfant à la vue de l'un des incendies terrifiants qui ravageaient les villes à l'époque.

BOSCH SE DROGUAIT-IL ?
L'ANCIENNE « POMMADE DES SORCIERES » PROVOQUE ENCORE AUJOURD'HUI DES HALLUCINATIONS DIABOLIQUES

Bosch était-il drogué ? Outre les multiples hypothèses émises, même sous l'angle psychanalytique, pour expliquer l'origine des visions monstrueuses qui caractérisent la partie « infernale » de l'œuvre de Bosch, Robert Delevoy a, en 1960, envisagé une autre éventualité : ces créations hallucinantes procèderaient d'une expérience onirique contre nature, c'est-à-dire provoquée artificiellement. Autrement dit, le peintre aurait fait usage de drogues hallucinogènes (expérience vécue, à une époque récente, par des écrivains comme Rimbaud, Artaud et Michaux).

Le professeur Peuckert, de l'université de Göttingen, a conduit plusieurs expériences intéressantes en la matière. Après avoir relevé, dans un traité d'alchimie au XVIe siècle, la recette d'un exitant, ce chercheur a reconstitué une préparation appelée à l'origine « pommade des sorcières ».

Il s'agit d'une mixture qui, mise à l'épreuve, a provoqué des effets analogues à ceux de la mescaline qu'utilisait l'écrivain suréaliste Michaux pour provoquer en lui des visions fantastiques.

Plusieurs volontaires ont accepté de se soumettre à l'effet de cette pommade. A l'issue d'un sommeil de vingt heures, ils ont décrit en détail leurs propres visions. D'après leurs récits, on a pu constater que les hallucinations provoquées par cette expérience étaient étrangement semblables : sensation de flotter dans les airs, scènes d'orgies avec des créatures sataniques, sièges infernaux. Somme toute, cet excitant engendre des fantasme qui semblent issus de certaines œuvres du maître de Bois-le-Duc. D'où l'hypothèse, audacieuse, mais nullement dénuée d'intérêt, que le peintre se serait drogué pour mieux créer.

Le Monde après le Déluge, *face intérieure du volet droit du* Triptyque du Déluge, *Rotterdam, Musée Boymans-Van Beuningen.*

POLEMIQUE SEVERE CONTRE LES DOMINICAINS

Un porc revêtu de la bure des dominicains et serrant dans l'une de ses pattes une plume d'oie, pointe son groin vers l'un des damnés de *L'Enfer musical,* sur le volet droit du *Triptyre du Jardin des Délices.* Dans un autre enfer —celui des *Sept Péchés capitaux,* du Prado, le costume de ce même ordre religieux couvre les membres d'un diable qui, au centre du tondo, frappe à coup de marteau un homme tombé à la renverse. Enfin, dans le *Portement de croix,* de Gand, l'un des visages grimaçants, déformés par la haine, qui entourent le Christ, est celui d'un dominicain.

Ces choix iconographiques de Bosch ne sont certainement pas fortuits : ils traduisent la critique ouvertement formulée de l'artiste à l'encontre de cet ordre religieux tout puissant, qui, aux Pays-Bas, s'étaient allié avec les envahisseurs étrangers, les Hasbsbourg, seigneurs féodaux. En fait, les images précitées nous font entrevoir l'artiste sous un jour nouveau : non plus un visionnaire ignorant de la réalité et perdu dans ses propres rêveries, mais au contraire un homme engagé, attentif aux problèmes et aux vicissitudes de son temps.

Les Habsbourg, arrivé aux Pays-Bas dès 1477 grâce au mariage de l'archiduc Maximilien avec la duchesse Marie de Bourgogne dévastèrent toutes les régions tombées sous leur « protectorat » grâce aux languenets. Pour étendre leur hégémonie sur une terre riche et fertile, et pour réprimer toute résistance, les Habsbourg s'allièrent étroitement avec l'Inquisition, et, par conséquent, l'ordre qui se trouvait à sa tête, celui des dominicains. Les procès conduits contre les prétendus hérétiques, permirent éga-

Le monde de Bosch

lement de réduire à l'impuissance les opposants à la dominication étrangère.

L'action entreprise par Jacques Sprenger, prieur du monastère dominicain de Cologne (et de la juridiction de laquelle relevait Bois-le-Duc) fut à cet égard significative. Nommé inquisiteur par le pape, il fut le co-auteur du *Malleus maleficarum*, déclaration de guerre aux sorcières. Maximilien qui venait fréquemment méditer à Bois-le-Duc dans le monastère dominicain fit venir J. Sprenger dans la ville pour qu'il y organisât des procès plus rigoureux. La population, qui s'était insurgée contre cette décision, contraignit l'Inquisiteur à pénétrer dans le monastère par la force des armes.

Témoin de ces évènements, Bosch prit résolument parti contre ceux qui opprimaient et massacraient ses semblables, pour ce faire, il usa de son arme la plus redoutable : sa peinture. Les caricatures des dominicains doivent être comprises dans cette optique. Dans *L'Escamoteur*, pendant que le charlatan retient l'attention de quelques badauds, l'un de ses complices dérobe la bourse de l'un des hommes présents. Or, ce détrousseur porte le capuchon rouge des dominicains.

LES ECRITS D'UN HISTORIEN MODERNE RECREENT L'ATMOSPHERE APOCALYPTIQUE DANS LAQUELLE VECUT LE PEINTRE

Même si, sur la totalité de son ouvrage intitulé le *Déclin du Moyen Age*, l'historien hollandais Johan Huizinga (1872-1944) ne cite qu'une seule fois le nom de Jérôme Bosch, on ne saurait trouver un texte qui décrive avec autant de pittoresque et d'efficacité la société et le milieu qui ont engendré une œuvre telle que celle du maître de Bois-le-Duc.

La citation d'Huizinga s'insère dans un commentaire sur l'ironie et la farce médiévales opposées aux réalités tragiques et sanguinaires comme la guerre et les horreurs de la persécution des sorcières. A ce sujet, l'écrivain précise qu'il existe un domaine où «cette intervention de la farce dans les choses sérieuses produit un effet particulièrement sinistre : l'obscure sphère de la croyance dans les diables et les sorcières. Même si la croyance dans le diable était directement enracinée dans une angoisse immense et profonde, l'imagination naïve revêtait quand même les figures diaboliques de couleurs si vives et les rendait si familières à tous qu'elles finissaient par perdre leur aspect terrifiant. Le diable ne se présente pas comme un personnage comique uniquement dans la littérature : malgré le sérieux des procès de magie, la bande de Satan se représente dans le style des tableaux de Jérôme Bosch, et l'odeur infernale du soufre se mêle aux incontinences de la farce... »

Dans son ouvrage, Huizinga décrit avec la précision de l'historien et la verve de l'écrivain, le déclin d'une époque, celle du Moyen Age, au sein de la société franco-bourguignonne où l'aube de la Renaissance commençait à poindre, relativement tardivement par rapport aux autres contrées européennes. C'est dans ce contexte (le Brabant faisait partie des possessions de la cour de Bourgogne) que vécut et vieillit Jérôme Bosch. Les commentaires de l'historien nous sont donc d'un précieux secours pour mieux comprendre la signification de certaines images boschiennes : «La vie était aussi rude et pittoresque qu'elle pouvait au même instant exhaler l'odeur du sang et le parfum des roses. Le peuple, tel un géant à tête d'enfant, oscillait entre la crainte de l'enfer et les plaisirs les plus innocents, entre la cruauté et la tendresse. Il vivait entre deux extrêmes : du complet renoncement aux plaisirs de ce monde à un attachement frénétique à la richesse et aux jouissances, de la haine la plus tenance à la bonhomie »

Selon Huizinga, la vie, vers la fin du Moyen Age, a pour substrat une « mélancolie aiguë ». La mélancolie domine dans un « monde hostile » où le feu de la haine et de la violence flamboie, où l'injustice prédomine, où le diable recouvre de ses ailes noires une terre plongée dans les ténèbres. Et l'humanité attend la fin imminente de chaque chose ». Ce sont là des atmosphères typiquement boschiennes, comme est boschien le « caractère fortement sexuel » de certaines visions et de certains fantasmes religieux. L'historien cite à ce propos le prédicateur dominicain Alain de la Roche, mort en 1475. Ce visionnaire décrit les bêtes figurant le péché munies d'horribles organes génétaux et émettant des torrents de feu et de soufre qui obscurcissent la terre de leur fumée. Il voit la « prostitué de l'apostasie » enfantant des apostats, « les dévorant et les vomissant tour à tour, les embrassant et les choyant comme une mère, les expulsant toujours à nouveau de son ventre ».

Dans la préface de la première édition de son célèbre ouvrage, Huizinga dit : « En écrivant, notre regard était tourné vers la profondeur d'un ciel vespéral, un ciel rouge de sang, lourd d'obscurités livides et envahi d'une fausse lumière de cuivre. » N'est-ce pas là l'un de ces cieux terrifiants que nous voyons dans le fond du *Triptyque du Jardin des Délices* ou du *Triptyque de la Tentation* ?

TABLE DES MATIERES

Toutes les illustrations qui figurent dans cet ouvrage, mais ne sont pas mentionnées dans la liste suivante appartiennent aux Archives Mondadori.

Page 4 — Autoportrait présumé de Bosch, détail du « Triptyque du Jardin des Délices » *(Madrid, Prado)* : *photo Scala.*
Page 5 — La place du Marché de Bois-le-Duc : *photo H.Boucher.*
Page 6 — Intérieur et extérieur de la cathédrale Saint-Jean à Bois-le-Duc : *photo V.V.V. — Bois-le-Duc.*
Page 7 — Fresque attribuée à Jan van Aken : Christ en croix » : *photo H. Boucher.*
Pages 8-9 — Statues de pierre de la cathédrale de Bois-le-Duc : *photo H. Boucher.*
Page 10 — Aspects de la campagne hollandaise aux abords d'Oirschot : *photo H. Boucher.*
Page 11 — Œuvre d'un peintre inconnu flamand du XVIᵉ siècle : portrait présumé de Bosch (Amherst, Mass., Amherst College Collection) : *photo du Musée.* Intérieur de l'Eglise Saint-Pierre à Oirschot : *photo H. Boucher.*
Page 12 — Siège de la Confrérie de Notre-Dame à Bois-le-Duc : *photo H. Boucher.* « Les noces de Cana », détail (Rotterdam, Musée Boymans-Van Beuningen) : *photo du Musée.*
Page 13 — Œuvre d'un peintre inconnu du XVIᵉ siècle : « Le marché aux tissus à Bois-le-Duc » ('s-Hertogenbosch, Noordsbrabant Museum) : *photo du Musée.*
Page 14-15 — Extérieur et intérieur de la chapelle de la Confrérie de Notre-Dame : *photo H. Boucher.* Van Wessel : « la mort de la Vierge », sculpture sur bois (Amsterdam, Rijksmuseum) : *photo du Musée.*
Page 16 — « Henri III de Nassau », gravure (Dillenburg, Wilhelmsturm Museum) ; *photo Tichter.* Plan de Bruxelles, gravure de Georg Braun et Franz Hogenberg dans *Civitates orbis terrarum,* 1574.
Page 17 — Maître de l'abbaye d'Affighem : « Philippe le Beau », détail du « Triptyne de la Mairie de Zierichzee » (Zierichzee, Mairie). Portrait présumé de Bosch, dessin (Bibliothèque d'Arras).

Page 18 — Ph. Galle : « Damiao de Gois », gravure extraite de Imagines doctorum virorum, Anvers 1606 (Paris, Bibl. Nat., Cabinet des Estampes) : *photo de la Bibliothèque.* Le Titien : « Philippe II » (Madrid, Prado).
Page 19 — A. Falise : « Monument à Bosch » : *photo H. Boucher.*
Page 22 — « L'Escamoteur », détail : *photo Giraudon.*
Page 23 — « La Cure de la Folie », rondo entier et détail : *photo Scala.*
Page 24 — « Les Sept Péchés capitaux » : *photo Scala.*
Page 26 — « Les noces de Cana » (Rotterdam, Musée Boymans Van Beuningen) : *photo du Musée.*
Pages 28-29 — « La Vanité » *photo Giraudon.* « Les noces de Cana », deux détails (Rotterdam, Musée Boymans-Van Beuningen) : *photo du Musée.*
Page 31 — « Triptyque du Chariot de foin » : *photo Mas.* « Le chariot de foin », détail : *photo Scala.*
Page 32 — « L'Enfant prodigue » (Rotterdam, Musée Boymans Van Beuningen) : *photo du Musée.*
Page 33 — « Le Chemin de la vie » : *photo Scala.*
Page 36-37 — « Le Jardin des Délices », deux détails : *photo Scala.* « L'Enfer musical », deux détails : *photo Mas.*
Page 38 — « Le Paradis terrestre », détail : *photo Mas.*
Page 39 — « Le Jardin des Délices », détails : *photo Scala.*
Page 40 — « Les Structures infernales » : *photo Scala.*
Page 41 — « L'Enfer musical », détail : *photo Giraudon.*
Page 42 — « Saint-Jérôme en prière » : *photo Scala.* « Histoires de la Passion » : *photo Jörg P. Anders (Bildarchiv Preussischer Kulturbesitz).*
Page 43 — « Saint-Jean à Patmos » : *photo Jörg P. Anders (Bildarchiv Peussischer Kulturbesitz).*
Page 44 — « Saint-Christophe » (Rotterdam, Musée Boymans-Van Beuningen) : *photo du Musée.*
Page 45 — « L'Adoration des Mages » et « Saint-Jérôme en prière », détails : *photo Scala.*
Pages 46-47 — « Le vol et la chute de Saint-Antoine » et « La Méditation » : *photo Scala.* « La Tentation de Saint-Antoine » : *photo Archives B — Agence Riciarini.*
Pages 48-49 — « La Tentation de Saint-Antoine », détails : *photo Francisco*

Marques, Lisbonne.
Page 50 — « La Tentation de Saint-Antoine », détails : *photo Giraudon.*
Page 51 — « La Tentation de Saint-Antoine » et « Le Jardin des Délices, détails : *photo Scala.*
Page 54 — « Triptyque de l'Epiphanie » : *photo Mas.* Deux détails du triptyque : *photo Unedi — Agence Riciarini.*
Page 55 — « Triptyque de l'Epiphanie », détail : *photo Scala.*
Pages 56-57 — « L'Adoration des Mages », détail : *photo Giraudon.*
Page 58 — « La Tentation de Saint-Antoine » : *photo Giraudon.*
Page 59 — « Le Chariot de foin », détail : *photo Scala.* « Les Noces de Cana », détail (Rotterdam, Musée Boymans-Van Beuningen) : *photo du Musée.*
Page 61 — « Le portement de croix », détail : *photo Giraudon.*
Page 62 — « L'Enfer musical », détail : *photo Mas.*
Page 63 — « Les Structures infernales », détail : *photo Scala* « Le Jugement dernier », détail : *photo Meyer.*
Page 64-65 — « Le Jugement dernier » de Munich : *photo Blauel.*
Page 66 — « Le Jugement dernier » de Munich, détail : *photo Blauel.*
Page 67 — « Le Jugement dernier » dans le « Triptyque du Jugement dernier » : *photo Meyer.*
Page 68 — « Le Portement de croix » : *photo Scala.*
Page 71 — « Le Monde méchant » (Rotterdam, Musée Boymans-Van Beuningen) : *photo du Musée.*
Page 75 — « Le Monde après le Déluge » (Rotterdam, Musée Boyamns-Van Beuningen) : *photo du Musée.*

N.B. : Les indications fournies ci-dessus complètent celles des légendes relatives à chaque illustration. Les musées, galeries, bibliothèques, collections privées, etc... où sont conservées les œuvres sont indiquées dans les légendes correspondantes.